CW00544809

LA TRAHISON D'EINSTEIN

ERIC-EMMANUEL SCHMITT

LA TRAHISON D'EINSTEIN

ALBIN MICHEL

1

Une fin d'après-midi, dans le New Jersey, au bord d'un lac.

Tandis que le soleil dore l'horizon de teintes cuivrées, un homme, assis sur le sol, se prépare un repas frugal avec du pain, du jambon, des cornichons.

C'est un vagabond. En sandales, couvert d'habits froissés, douteux, son sac à dos posé dans l'herbe, il regarde ce qui se passe au loin.

Ce qu'il voit – et qui l'amuse – nous échappe.

Lorsque l'action qu'il fixe amène ses yeux à se tourner vers la droite, Einstein entre.

En ce jour de 1934, Albert Einstein a cinquante-cinq ans.

Cheveux hirsutes, ample chemise, pantalon en lin, sans chaussettes dans ses chaussures, il rivalise de négligence vestimentaire avec le vagabond.

Descendant, trempé, de son voilier, il s'ébroue sur la berge. Après un sourire au vagabond, il extrait une serviette de sa besace de sportif.

EINSTEIN
Alors ? Le spectacle vous a régalé ?

LE VAGABOND
Excellent. Joli voilier, éblouissante lumière sur le lac, quelques solides pointes de vitesse... et j'ai cru au moins cinq fois que vous alliez chavirer.

EINSTEIN
Ah, merci... Je ne me serai pas donné du mal pour rien.

LE VAGABOND
Comment réussissez-vous ça ?

EINSTEIN
Quoi ? Coucher ma voile sur les flots ou rétablir ma coque ?

LE VAGABOND
Vous intéresser à un sport dans lequel vous êtes aussi doué qu'un éléphant pour la danse ? Moi, à ce niveau de maladresse, j'abandonnerais.

EINSTEIN
Je pratique la navigation depuis des années.

LE VAGABOND
Ah...

EINSTEIN
J'aime quand les choses me résistent.

LE VAGABOND
Dans ce cas, vous avez fait le juste choix : avec la voile, vous ne vous lasserez pas.

EINSTEIN
Fendre les flots me détend. Autant que jouer du violon.

LE VAGABOND *(inquiet)*
Aïe... Vous torturez également le violon ?

EINSTEIN
Mieux que je ne navigue.

LE VAGABOND
Ouf...

EINSTEIN
Aucun des compositeurs que j'ai interprétés ne s'en est plaint.

LE VAGABOND

Ils étaient déjà morts, peut-être ? Remarquez, les poissons non plus, ils ne protestent pas ! Pourtant, lorsqu'ils vous voient piquer sur eux à toute berzingue en agitant votre coquille, ça doit paniquer dans les bas-fonds...

Einstein éclate de rire, nullement vexé, puis achève de se sécher.

EINSTEIN

Et vous, comment vous détendez-vous ?

LE VAGABOND

Je n'ai pas besoin de me détendre, je suis né détendu. *(Détaillant Einstein.)* C'est fou comme vous lui ressemblez !

EINSTEIN

À qui ?

LE VAGABOND

Au savant. Celui qui vient de s'installer ici, à Princeton, à l'université, le bonhomme connu dans le monde entier, Neinstein. Alfred Neinstein.

EINSTEIN
Albert Einstein ?

LE VAGABOND
Oui ! D'après les photos des journaux, on dirait vous trait pour trait.

EINSTEIN *(égayé)*
Vous n'êtes pas le premier à le remarquer.

LE VAGABOND
Une sacrée pointure, il paraît, ce gars-là.

EINSTEIN
Il paraît.

LE VAGABOND
Prix Nobel de sciences.

EINSTEIN *(corrigeant)*
De physique.

LE VAGABOND
Quoi ? Ce n'est pas une science, la physique ?

Einstein hoche la tête.

EINSTEIN
Savez-vous ce qu'il a découvert ?

LE VAGABOND
L'Amérique ?

EINSTEIN
La théorie de la relativité restreinte.

LE VAGABOND
Ah !

EINSTEIN
$E=mc^2$.

LE VAGABOND
Rien que ça ? Il ne s'est pas foulé !

EINSTEIN
Voulez-vous que je vous explique ?

LE VAGABOND
Surtout pas.

EINSTEIN
Vous avez les moyens de...

LE VAGABOND
Silence ! Pas un mot ! Que j'y entrave rien prouve

son génie. Et puis, arrêtez de crâner : quand on vous voit conduire un bateau, on devine que ce n'est pas vous qui allez raconter $E=mp^2$.

EINSTEIN *(corrigeant)*

$E=mc^2$.

LE VAGABOND

Mc^2 ?

EINSTEIN

Mc^2.

LE VAGABOND *(haussant les épaules)*

Vous dites n'importe quoi.

EINSTEIN

Non.

LE VAGABOND

Si.

EINSTEIN

Non.

LE VAGABOND

Prouvez-le.

EINSTEIN
Ça risque de prendre du temps.

Croyant à une dérobade, le vagabond glousse.

LE VAGABOND
Oh, le lâche, la grosse excuse... *(Einstein s'éloigne.)* Remarquez, vaut mieux que vous ne soyez pas Neinstein, parce que lui, si je le rencontrais, je lui frotterais les oreilles.

Einstein, qui partait, s'arrête, intéressé.

EINSTEIN
Ah bon ?

LE VAGABOND
Ou je lui botterais le cul. Au choix.

EINSTEIN
C'est vous qui choisissez ou Einstein ?

LE VAGABOND
Moi ! Je vois ce qui est disponible, le cul ou les oreilles, et je fonce.

EINSTEIN

Bien, je vous écoute. Avec mes oreilles.

Einstein revient près de lui.
Le vagabond le regarde, sans comprendre.

LE VAGABOND

Pardon ?

EINSTEIN

Frottez ! Vos critiques, exposez-les.

LE VAGABOND

Ça ne vous concerne pas. Vous, je n'ai rien à vous reprocher. *(Plaisantant.)* À part de copier mon style vestimentaire.

EINSTEIN

C'est vrai : nous avons le même tailleur.

LE VAGABOND

Ouais ! Le même ! Et il s'appelle la dèche.

EINSTEIN *(bouffonnant avec lui)*

Très fort sur l'ampleur.

LE VAGABOND *(idem)*
Expert en plis !

EINSTEIN
Choisissant les tissus qui attirent les taches.

LE VAGABOND
Comme ça, on casse la monotonie : on change d'aspect sans changer de vêtements.

Ils rient.

LE VAGABOND
Vous ne portez pas de chaussettes ?

EINSTEIN
Jamais, le gros orteil finit toujours par les percer.

Ils pouffent. La glace est rompue entre eux.
Puis le vagabond donne un coup de coude à Einstein en désignant le bateau non loin.

LE VAGABOND
Dis, ton voilier, tu l'as piqué à qui ?

Einstein sourit.

EINSTEIN
Auriez-vous envie que je vous embarque pour un tour ?

LE VAGABOND
Arrête, je déteste l'eau.

EINSTEIN
Désolé que les lacs du New Jersey ne soient pas remplis de bière. Cependant, nous pourrions…

LE VAGABOND
Non ! Je ne sais pas nager.

EINSTEIN
Pas besoin de savoir nager.

LE VAGABOND
Avec toi à la barre ? Si.

Einstein grimace. Le vagabond s'en divertit.

LE VAGABOND
Oh la tronche ! Dingue la ressemblance avec Neinstein. Vraiment dément ! Les yeux de cocker, les cheveux en pétard. Pareil.

EINSTEIN
Cinquante-cinq ans que l'on me répète ça.

Le vagabond tressaille.

LE VAGABOND
Mince !

Il se relève, paniqué, et recule.

LE VAGABOND
C'est vous ?

Einstein approuve de la tête.

LE VAGABOND
Oh, navré. Et moi qui jacassais comme si vous étiez une cloche.

Einstein s'offre à lui.

EINSTEIN
Frottez-moi les oreilles.

Le vagabond hausse les épaules. Einstein insiste gentiment.

EINSTEIN
Si, si, je vous prie : frottez-moi les oreilles. Vous aviez des reproches à m'adresser.

LE VAGABOND *(tentant d'éviter le sujet)*
Vous ne rentrez pas ?

EINSTEIN
Je prends mon temps.

LE VAGABOND
Personne ne vous attend ?

EINSTEIN
Si.

LE VAGABOND
Ah… Mal marié ?

EINSTEIN
Marié, tout simplement. Deux fois. J'aime bien répéter mes erreurs. Une manie… Jusqu'à sept ans, je redisais toutes mes phrases. Ça m'est resté. Ça m'est resté.

Le vagabond hésite, réfléchit et pivote, furieux, vers Einstein.

LE VAGABOND

Je ne digère pas vos discours contre les militaires, les armes, la guerre.

EINSTEIN

Ah, voilà… Vous me reprochez mon pacifisme ?

LE VAGABOND

Vous n'avez pas le droit ! Parce que vous luisez du cerveau, on boit vos paroles. Comment pouvez-vous encourager les déserteurs, les lâches, les objecteurs de conscience ! Franchement, vous ne prouvez pas votre intelligence en assaisonnant les vrais patriotes.

EINSTEIN

Le patriotisme est une maladie infantile, la varicelle de l'humanité.

LE VAGABOND

Vous daubez sur les militaires qui nous défendent au péril de leur vie !

EINSTEIN

L'individu qui se réjouit de marcher en rang sur les accents d'une musique épouvantable tombe sous mon mépris. C'est par erreur qu'il a reçu un vaste cerveau ; l'épine dorsale y suffisait amplement. Les hommes ne doivent pas assassiner les hommes.

LE VAGABOND

À la guerre, on ne tue pas pour tuer, mais pour ne pas mourir. Et le soldat se bat à votre place.

EINSTEIN

Donnant-donnant, moi je pense à sa place.

LE VAGABOND

Je vois : seul contre tous, à part, au-dessus de la mêlée.

EINSTEIN *(bêlant soudain)*

Bêêê... bêêê... bêêê...

LE VAGABOND *(choqué)*

Pardon ?

EINSTEIN

Pour appartenir à une communauté de moutons, il faut être un mouton. Bêêê... bêêê...

LE VAGABOND
Les soldats sont des héros !

EINSTEIN
L'héroïsme sur commande, l'héroïsme sous contrainte, quelle farce !

Furieux, le vagabond s'exclame avec violence :

LE VAGABOND
J'avais un fils, Eddy. Il est mort à la guerre !

Einstein cesse de persifler, bouleversé.

LE VAGABOND
Déchiqueté par un explosif. Il avait vingt et un ans. En 1918... à la fin... lorsque certains rentraient déjà... L'était toujours en retard, ce couillon...

EINSTEIN *(sincèrement compatissant)*
Condoléances.

LE VAGABOND
Tu parles... condoléances ! Un mot qu'on prononce pour se protéger du vide. Comme la croix

au cimetière militaire, la petite croix qu'on plante au-dessus d'un immense trou. Condoléances ! *(Il se tourne vers Einstein, en colère.)* Je l'aimais, Eddy. Je l'aimais plus que tout. Simple, je n'avais jamais compris l'amour avant de me pencher sur son berceau : c'est lui qui me l'a appris. Mon gosse a été un grand Américain. Mon fils a été un héros.

EINSTEIN

Je n'en doute pas. Pas une seconde.

LE VAGABOND *(comme s'il avait remporté une victoire)*

Ah !

EINSTEIN

Avez-vous d'autres enfants ?

Le vagabond secoue la tête.

LE VAGABOND

Un an après que j'ai laissé mon fils au boulevard des Allongés, mon patron m'a foutu dehors. Je râlais, je gueulais, je broyais du charbon. Une déprime du genre agressif. Je voulais mordre les gens.

EINSTEIN
Vous leur reprochiez d'être vivants.

LE VAGABOND
Ensuite, j'ai picolé...

EINSTEIN
Vous vous blâmiez de survivre...

LE VAGABOND
Plus d'entrain, plus de métier, plus d'argent. Conclusion, ma femme s'est barrée et moi j'ai pris la route. Sans famille, pas besoin d'un toit. Pourquoi s'esquinter à gagner un salaire ? Moi, monsieur, la crise, je ne l'ai pas vue passer... Si j'avais été enchaîné à un emploi, ligoté à des traites de crédit, sûr que j'aurais avalé ma chique en 1929 ! Au lieu de ça, j'ai traversé la Californie, j'ai fixé l'horizon en marchant et les étoiles en m'endormant. Pour trouver de quoi bouffer, je me débrouille ou j'aiguise les couteaux. Y a toujours des lames qui mollissent, je leur redonne du tranchant... D'ailleurs si vous en avez qui... Oh non, on ne dégote sûrement pas un seul couteau chez un pacifiste !

EINSTEIN
Avec quoi croyez-vous que je coupe ma nourriture, avec mes ongles ? Je vous apporterai mes couteaux.

LE VAGABOND
N'êtes pas végétarien, en plus ?

EINSTEIN
Non, mais j'y songe.

LE VAGABOND
Décourageant…

Le vagabond est accablé. Einstein revient au sujet :

EINSTEIN
Dans votre cas comme dans le mien, les meilleurs mots pour parler de la guerre seraient les larmes. Je ne veux plus qu'il y ait de guerre.

LE VAGABOND *(grommelant)*
Quelle originalité…

EINSTEIN *(avec un entêtement violent)*
Je ne veux plus qu'il y ait de guerres.

LE VAGABOND

Un enfant… Un enfant de six ans… Six ans et demi peut-être… Quelle naïveté… Un robinet d'eau bénite…

EINSTEIN

Aimez-vous la guerre ?

LE VAGABOND

Me demander si j'aime la guerre, c'est aussi stupide que de me demander si j'aime la mort. Moi, monsieur, je n'ai pas décroché le prix Nobel, même pas le prix Nobel de la manche ou de l'affûtage des canifs, alors j'évite les questions idiotes. La guerre, elle se pointera, nous ne pourrons pas y échapper. Comme la mort.

EINSTEIN

Faux ! La guerre ne constitue pas le seul moyen de résoudre les conflits ; je lui préfère la négociation, l'élévation morale. Or, depuis des siècles, on confie l'éducation du peuple à des militaires. Si ! Lisez les manuels d'histoire : ils exaltent le territoire, le royaume, la nation ; ils encensent des empereurs stratèges, des généraux tacticiens, ces monstres qui abandonnent des milliers de dépouilles derrière eux. On énumère les victoires en chantant alors que ces victoires scandent à chaque fois la défaite de l'homme. Votre fils a obéi à l'État. Quelle est pourtant la fonction de l'État ? Sa tâche consiste à protéger l'individu, à lui offrir la possibilité de se réaliser par son métier, son art, sa famille. L'État nous sert, nous n'avons pas à en devenir les esclaves. La personne humaine doit trôner au sommet, sa vie demeurant intouchable et sacrée. Pour moi, l'État se met hors la loi quand il nous contraint à une préparation militaire, il nous met hors la morale quand il nous oblige à assassiner. Il a trahi sa mission. Comme vous, je ne veux plus la guerre. Militer pour le pacifisme, c'est insuffler l'esprit de concorde, provoquer une révolution mentale.

LE VAGABOND

Comment ?

EINSTEIN

Premièrement, il faut détruire le sentiment nationaliste, ce prétendu amour des siens qui s'égare dans la haine des autres. Deuxièmement, il faut presser les jeunes gens de refuser le service militaire – ne vaudrait-il pas mieux utiliser ce temps et cet argent à former les cerveaux au respect de la vie ? Troisièmement, il faut anéantir l'industrie qui soutient, masquée, le nationalisme. Là, je propose qu'on ne fasse pas de quartiers : fin totale, désarmement définitif. Que les États renoncent à leur souveraineté et transfèrent leur pouvoir militaire à la Société des nations ; en cas de conflit, ils se soumettront à l'arbitrage de la Cour internationale de justice. Notre avenir réside dans un gouvernement mondial. Ainsi l'humanité sera telle que nous la souhaitons, et un jour, un jour lointain peut-être mais un jour radieux, la guerre sera abolie et ce mot même, loin de nous effrayer, ne désignera plus que l'incompréhensible folie de nos ancêtres.

Il s'arrête, flamboyant, plein d'énergie, prêt à continuer. Le vagabond le contemple, sidéré.

LE VAGABOND

Quelle langue de trompette ! Je pige maintenant pourquoi vous pratiquez le sport : votre crâne bouillonne tellement qu'il a besoin de lâcher de la vapeur…

EINSTEIN

Vous ai-je convaincu ?

LE VAGABOND

Moi qui rêvais de vous chauffer les oreilles, vous m'avez mis la cervelle en fromage blanc.

EINSTEIN

Vous ai-je convaincu ?

LE VAGABOND *(changeant de voix, fragile)*

Donc, vous n'êtes pas pacifiste dans l'intention de vous moquer de mon fils ?

EINSTEIN

Au contraire. J'aurais préféré que votre fils ne meure pas au champ de bataille. J'aurais préféré que votre fils soit parmi nous et que vous soyez fier de ce qu'il entreprend aujourd'hui. J'aurais préféré que votre fils confie ses précieuses qualités – sa jeunesse, sa force, sa droiture, son intelligence – à une autre cause que le combat. J'aurais préféré que votre fils soit un héros en vivant, pas un héros en mourant.

LE VAGABOND *(rougissant)*

C'est gentil d'avoir pris la peine de m'expliquer votre point de vue.

EINSTEIN

Vous ai-je convaincu ?

LE VAGABOND
Pas une seconde.

Échange d'un sourire entre les deux hommes. Einstein se lève pour partir.

EINSTEIN
Voyons, quelle heure est-il ?

LE VAGABOND
18 heures.

EINSTEIN
Ah… j'ai rendez-vous à 17 heures. Il faudrait peut-être que je me mette en route. *(Au vagabond.)* À bientôt ?

LE VAGABOND
Pourquoi pas ? *(Indiquant la nature.)* Vous connaissez le chemin de mon bureau. *(Amusé.)* Curieux : vous ne m'impressionnez pas.

EINSTEIN
Ça tombe bien car moi non plus je ne m'impressionne pas.

Einstein part.

Le vagabond demeure préoccupé.

Après une minute, un homme au faciès intransigeant, habillé de façon stricte, s'approche.

O'NEILL

Que vous a-t-il dit ?

Le vagabond découvre l'intrus, le toise et. pour l'amener à plus de politesse, lui lance :

LE VAGABOND

Bonsoir !

O'NEILL *(agacé)*

Oui, bonsoir.

LE VAGABOND

Ça vous écorche la bouche, la politesse ?

O'NEILL

Alors, que vous a-t-il raconté ?

Sans répondre, le vagabond ramasse ses affaires et s'apprête à quitter ce lieu.

LE VAGABOND *(sur le ton de l'adieu)*
Bonsoir.

Nerveux, l'homme se précipite sur lui et le saisit par le col de la chemise, sans ménagement.

O'NEILL
Rapportez-moi votre conversation avec lui.

LE VAGABOND
Avons-nous gardé les cochons ensemble ?

O'NEILL
A-t-il critiqué l'Amérique ? A-t-il tenu des propos communistes ?

LE VAGABOND
Je t'emmerde.

O'NEILL
Vous auriez intérêt à vous montrer plus coopératif. Sinon...

LE VAGABOND
Sinon ?

L'homme a un rictus et sort une carte de son manteau.

O'NEILL
Agent O'Neill, des services secrets, FBI.

Le vagabond est effrayé par l'assurance de l'espion, par sa froide détermination.

LE VAGABOND
Punaise, vous foutriez la trouille à Al Capone, vous !

O'NEILL
Maintenant, au travail ! Et vite ! Je veux un rapport précis.

Noir

2

Une nuit de mars 1939.

La lune baigne le paysage bleu sombre de lueurs argentées.

Einstein est assis sur la berge, une lampe à huile posée à ses côtés, laquelle diffuse une lumière dorée, chaude, rassurante. Il puise des lettres dans un gros sac en toile ; de temps en temps, sur un carnet, il ajoute une note au crayon.

Le vagabond, comme s'il en avait l'habitude, se tient non loin d'Einstein et lit un journal.

Il sursaute.

LE VAGABOND

Oh ! En Allemagne, ils ont brûlé vos livres en place publique ?

EINSTEIN
J'ai joui de cet honneur. S'il peut réduire nos pages en cendres, Hitler ne parviendra pas à brûler la pensée, parce que la pensée, c'est le feu.

LE VAGABOND
Vous avez de ces formules, vous !

EINSTEIN
C'est un peu ma spécialité.

Le vagabond reprend sa lecture.

LE VAGABOND
Cet Hitler... Internements et exécutions arbitraires, la jeunesse endoctrinée, la population obligée de saluer par « Heil Hitler »... Je me demande si les journaux n'exagèrent pas.

EINSTEIN
J'aimerais que ce soit le cas.

LE VAGABOND
Pour vendre du papier, les journalistes en font des tonnes. Cordell Hull, le secrétaire d'État, l'a

affirmé l'autre jour : la presse pousse vraiment mémère dans les bégonias.

EINSTEIN

Ça l'arrangerait, ça vous arrangerait, ça m'arrangerait aussi. Les actes immondes nous choquent tant que nous préférons nous exclamer « C'est faux ! ». À les nier, nous nous sentons meilleurs, nous nous procurons une vertu bon marché.

LE VAGABOND

Bien vu ! Lorsque j'avais dix ans, un camarade m'a expliqué comment on fabriquait les enfants. Le zizi du monsieur dans la fente de la dame… Et puis ensuite il fait pipi… Ce qu'il m'a raconté m'a paru si extravaguant que j'ai refusé de le croire et que j'ai conclu : « De toute façon, je connais mon père et ma mère, ils n'essaieraient même pas une saloperie pareille. »

Il glousse. Einstein, lui, ne rit pas, agité de pensées sombres.

LE VAGABOND

Excusez-moi, je vous ennuie avec mes bêtises.

EINSTEIN

Il n'y a qu'une seule qualité qui doit se montrer absolue dans cet univers où tout s'avère relatif : l'humour. J'apprécie votre humour. *(Revenant au sujet.)* Non, les journaux ne dramatisent pas : Hitler, chancelier d'Allemagne, accomplit ce qu'il a annoncé, la guerre et l'extermination de certaines populations.

LE VAGABOND

En face d'Hitler et de ses bataillons de nazis, je ne voudrais pas être un Juif allemand.

EINSTEIN

Justement ce que je suis. *(Un temps.)* Ou plutôt ce que j'étais... J'ai acquis la nationalité suisse.

LE VAGABOND

Et juif ? On peut se débarrasser de ça ?

EINSTEIN

À ma naissance, sur mes papiers d'identité, il y avait inscrit « citoyen allemand de confession juive ». Cela m'amusait : je me demandais s'il existait un type d'incroyance qui permettait de cesser d'être juif.

LE VAGABOND

Vous ne croyez pas en Dieu ?

EINSTEIN

Si j'entrais dans une synagogue, Dieu ne me reconnaîtrait pas... D'ailleurs, la seule religion ne fait pas le Juif. Quel leurre ! Un jour des années 30, je me réveille différent ; la veille j'étais un Allemand, ce matin-là j'étais un Juif. Que s'était-il passé pendant la nuit ? Hitler avait gagné les élections. L'antisémitisme m'avait repeint en Juif.

LE VAGABOND

Alors, c'est quoi, être juif ?

EINSTEIN

Un destin. Ça colle à la peau des pensées, ça forge le caractère, ça oriente l'intelligence, ça garnit la mémoire. Dès qu'on se rend compte qu'on est juif, il est déjà trop tard.

Le vagabond continue en bouffonnant :

LE VAGABOND

Comme les scouts : Juif un jour, Juif toujours !

Ils rient en se forçant. À l'évidence, ils essaient de se montrer plus légers qu'ils ne le sont en réalité. Le vagabond désigne les journaux.

LE VAGABOND
«Juifs interdits de travail», «Juifs détroussés», «Juifs arrêtés»... Vous avez eu raison de mettre un océan entre Hitler et vous. Ici, dans le New Jersey, vous ne craignez rien.

EINSTEIN
Je me suis enfui à temps, certes. Un lâche ponctuel... *(Einstein soulève le sac et révèle que celui-ci est rempli de lettres de différentes tailles.)* Tenez, devinez ce que c'est.

LE VAGABOND
Si les lettres m'étaient adressées, au poids les ardoises que j'ai laissées depuis vingt ans dans les pubs du pays...

EINSTEIN
Devinez.

LE VAGABOND
Des ligues pour la pudeur vous demandent de raser votre moustache ?

EINSTEIN

Non.

LE VAGABOND

Des messages de femmes qui vous admirent ?

EINSTEIN

Je ne suis ni chanteur ni acteur, et je crains que les équations mathématiques ne se révèlent guère sexy.

LE VAGABOND *(plaisantant)*

Pourtant, moi j'ai connu un théorème de Pythagore qui me mettait dans tous mes états. *(Cessant de bouffonner.)* En réalité, j'ai toujours eu des difficultés en mathématiques.

EINSTEIN

Et moi donc ! *(Sérieux.)* Des Juifs, en Europe, sollicitent mon intervention pour les aider à migrer ici, aux États-Unis. Voici la correspondance d'une semaine.

LE VAGABOND

Pourquoi ont-ils besoin de vous ?

EINSTEIN

Le gouvernement américain multiplie les obstacles. Outre l'extrait de naissance, les candidats à l'exil doivent produire une attestation délivrée par la police de leur pays confirmant qu'ils sont d'excellents citoyens. Comme si un Juif persécuté, ses valises à la main, allait s'arrêter au quartier général de la Gestapo pour réclamer un certificat de bonne conduite !

LE VAGABOND

Aïe...

EINSTEIN

Les nazis se contentent d'inscrire « communiste » ou « sympathisant communiste » afin que la requête soit refusée. Le président Roosevelt redoute les communistes davantage que les fascistes.

LE VAGABOND

Il a raison, non ?

Einstein examine le vagabond avec surprise. Moment de malaise entre eux. Aucun n'a envie de s'aventurer dans cette discussion, chacun appréhendant ce que l'autre pourrait énoncer.

Un temps.

LE VAGABOND

Que faites-vous de ces lettres ?

EINSTEIN

Je les distribue. Nous trouvons des industriels qui fournissent du travail ou assument la charge financière des réfugiés. Comme je n'ai ni dollars ni postes à donner, j'écris des attestations en faveur d'artistes, d'enseignants, de scientifiques juifs.

LE VAGABOND

Ça marche ?

EINSTEIN

Un peu. Très peu. Trop peu.

LE VAGABOND

Le gouvernement a imposé des quotas. Que tous les malheureux viennent ici ne constitue pas une solution.

EINSTEIN

D'accord. Ce n'est pas l'Amérique qui doit résoudre ce problème, c'est l'humanité.

Le vagabond siffle devant l'ampleur de la tâche.

LE VAGABOND

L'humanité ? Rien que ça ? Quand vous la rencontrerez, donnez-lui mon bonjour.

EINSTEIN *(bouffonnant à son tour)*

Ce sera difficile... On ne la voit plus beaucoup ces derniers temps. Avez-vous de ses nouvelles ? *(Plus sévère.)* Que serait Hollywood sans les Juifs ? Une plage de retraités où n'apparaîtrait qu'une seule star, la souris Mickey...

Le vagabond toussote, puis tire une lettre du sac et la montre à Einstein.

LE VAGABOND

Je peux ?

EINSTEIN

Je vous en prie.

LE VAGABOND

« Professeur Albert Einstein, Princeton, États-Unis. » Quoi ! L'enveloppe ne comporte que ça et elle vous arrive quand même ? Alors là, chapeau ! Respect, Monseigneur. Je croyais qu'il n'y avait que Mickey, justement, qui recevait des lettres sans adresse précise. « Mickey, Hollywood », et hop, sur la table de Mickey. *(Il inspecte les timbres.)* Oh, quels timbres exquis ! Moi, si j'étais une célébrité mondiale comme vous, je me mettrais à la philatélie. Vous n'y avez jamais pensé ? *(Il décachette l'enveloppe.)* Tiens, intéressant : je vous la lis ?

EINSTEIN
J'écoute.

LE VAGABOND
Un Belge vous remercie de soutenir le Mouvement des objecteurs de conscience. Un mouvement de gauche, non ? Socialiste ?

Einstein tique.

EINSTEIN
Pourquoi ?

Un peu gêné, le vagabond s'obstine.

LE VAGABOND
Les objecteurs de conscience prétendent que les guerres sont organisées par les capitalistes pour affaiblir les travailleurs en tuant leurs éléments

jeunes et contestataires. D'après ce qu'on m'a dit, le pacifisme vient des rouges !

EINSTEIN
« On » ? Qui « on » ? Qui vous a affirmé ça ?

LE VAGABOND
M'en souviens plus.

EINSTEIN
Souvenez-vous-en et excluez cette personne de vos fréquentations, je vous en prie.

Einstein dévisage le vagabond avec sévérité. Moment de trouble.

Penaud, le clochard s'absorbe dans le déchiffrement de la lettre.

LE VAGABOND
Ce Belge vous implore d'aider des jeunes objecteurs.

EINSTEIN
Je refuse.

LE VAGABOND
Pardon ?

EINSTEIN

Il y a peu de temps, on pouvait espérer combattre le militarisme en Europe par la résistance individuelle. Aujourd'hui, face à l'Allemagne qui prépare la guerre, il ne faut pas se berner : la liberté se trouve en danger. La Belgique est un trop petit pays…

LE VAGABOND

Oui, sur un rocher, je crois ?

EINSTEIN

Non, ça c'est Monaco. Le royaume de Belgique ne possède pas de frontières naturelles ; l'Allemagne l'attaquera. Je vous l'affirme sans détour : en tant que citoyen belge, je ne déclinerais pas le service militaire. Je l'accepterais.

LE VAGABOND

C'est vous qui déclarez ça ? Vous me choquez.

EINSTEIN

Vous ? Vous qui n'êtes pas pacifiste ?

LE VAGABOND

Pas besoin d'adhérer au pacifisme pour noter que vous trahissez vos principes.

EINSTEIN

Non. Je mets mes principes de côté, sur une étagère, en attendant le moment où je pourrai les récupérer, quand le refus du service militaire incarnera de nouveau un moyen de lutte efficace au service du progrès humain. Je ne serai pas pacifiste « envers et contre tout ».

LE VAGABOND

Ah, pratique, votre étagère à principes !

EINSTEIN

Non, pas « pratique » : pragmatique.

LE VAGABOND

Vous en rangez sur cette étagère ?

EINSTEIN

Oui, des principes scientifiques. Dans tous les domaines, les principes n'ont pas de sens indépendamment de leurs conséquences. L'expérience doit en vérifier la justesse. Ici, en l'occurrence, mes principes conduisent à une conséquence que je ne saurais admettre : le triomphe des nazis. Donc, j'abandonne mes principes.

LE VAGABOND

Et hop, vous vous arrangez ! Vous jouez les vertueux pendant des années et puis, sans prévenir, vous baissez votre culotte.

EINSTEIN

Si aujourd'hui, Belge, Français, Hollandais, Polonais, Hongrois, vous vous opposez de façon absolue à la guerre en refusant les armes, le service militaire, la mobilisation, vous favorisez les nazis allemands. En vous montrant radical, vous travaillez à la victoire du plus fort.

LE VAGABOND

Et alors ? Pas nouveau ! Il y a toujours eu des nations plus armées, plus teigneuses, plus vicieuses que d'autres. C'est pour cela que chaque nation, même pépère, se contraint à entretenir un système de défense. Teniez-vous au pacifisme parce que vous n'aviez jamais pipé ça ?

EINSTEIN

L'Allemagne d'aujourd'hui ne se comporte pas en nation comme les autres. Infectée par le national-socialisme, elle ambitionne la mort de la démocratie, elle instaure le parti unique, elle traque les

Juifs, elle s'attaque aux libertés élémentaires. En se préparant à l'affronter, il s'agit de défendre une conception de la civilisation ! L'humanité est en péril.

Un temps.
Einstein achève :

EINSTEIN
Vous devriez jubiler : je rejoins vos positions.

LE VAGABOND
Oh, mes positions m'attristent tellement que je ne parviens pas à me réjouir que vous vous y rangiez. Dans ma victoire, je ne vois que votre défaite.

Les deux hommes se sourient. Pendant quelques secondes, ils vibrent en profonde sympathie.

EINSTEIN
Je vais rentrer.

LE VAGABOND
Vous êtes veuf mais vous ne filez pas au foyer plus vite que lorsque vous aviez encore madame.

EINSTEIN
Pauvre Elsa…

LE VAGABOND
Pas d'autres femmes depuis ?

Einstein a un geste évasif qui laisse supposer que d'autres liaisons ont pris place.

LE VAGABOND
Ah, quand même…

EINSTEIN
Les aventures sentimentales sont plus dangereuses que la guerre : au combat, on n'est tué qu'une fois, en amour, plusieurs fois. *(Il s'approche pour reprendre son sac de lettres.)* Puis-je vous confier une ou deux lettres ? Aideriez-vous ces personnes ?

LE VAGABOND
Je n'ai pas beaucoup de relations, à part des chiens, deux ou trois écureuils, et quelques puces.

EINSTEIN *(las)*
Bien sûr…

Il se détourne, fatigué, avec son sac sur les épaules. Le vagabond le considère avec pitié.

LE VAGABOND
Monsieur Einstein, vous prenez les événements trop à cœur. Personne ne vous demande de porter l'humanité sur votre dos.

EINSTEIN
Je n'ai aucun don pour l'indifférence. *(Douloureux.)* Le monde ne sera pas détruit par ceux qui commettent le mal, mais par ceux qui le contemplent sans réagir. Roosevelt en tête. Les bras croisés se révéleront aussi dangereux que ceux qui se lèvent pour saluer Hitler.

Il part.
Le vagabond demeure seul, puis lorgne à gauche.
L'agent au manteau noir s'approche.

O'NEILL
Alors ? Il a encore insulté l'Amérique ?

LE VAGABOND

Non. Il est aux anges d'habiter ici. Il souhaiterait même que plus de gens puissent profiter de l'Amérique.

O'NEILL

Qui ?

LE VAGABOND

Des Juifs persécutés en Europe.

O'NEILL *(grimaçant)*

Oui, nous sommes au courant.

LE VAGABOND

Il se décarcasse pour les aider, il travaille autant à ça qu'à ses équations.

O'NEILL

Une perte de temps... Dans le dossier d'un aspirant à l'immigration, une recommandation d'Einstein produit un effet négatif.

LE VAGABOND

Pourquoi ?

O'NEILL

Nous savons qui il est.

LE VAGABOND
Et quoi ?

O'Neill marque un silence puis rabroue le vagabond.

O'NEILL
Vous m'avez obéi ? Vous l'avez poussé dans ses retranchements ?

LE VAGABOND
Oui, je lui ai servi vos arguments : les objecteurs de conscience socialistes, l'Amérique qui doit se méfier des immigrants bolcheviques.

O'NEILL
Alors ?

LE VAGABOND
Il m'a écouté.

O'NEILL
Et... ?

LE VAGABOND
Il m'a écouté.

O'NEILL
Il se méfie…

LE VAGADOND
De moi ?

O'NEILL
De tout le monde. C'est un menteur professionnel.

Un temps.

LE VAGABOND
Je vous déçois, non ? Je ne fais pas un mouchard convenable. Prenez quelqu'un d'autre.

O'NEILL
Vous essayez de contourner vos devoirs d'Américain ? Si votre fils mort au combat entendait ça…

Le vagabond baisse la tête, confus.

O'NEILL
Estimez-vous que vos contacts avec lui ont perdu en qualité ?

LE VAGABOND

Non. Ça me gêne. En réalité, j'ai rien contre monsieur Einstein, je le gobe bien...

O'NEILL

Retenez-vous. Quoiqu'il se soit refugié ici, il déteste l'Amérique. Pendant qu'il sollicite notre nationalité, il nous blâme. L'individu dissimule des intentions néfastes...

LE VAGABOND

Lesquelles ?

O'NEILL

Contaminer les États-Unis. Leur inoculer le poison communiste. C'est un traître au service des rouges !

LE VAGABOND

Vous le savez ou vous le craignez ?

O'NEILL

Nous enquêtons pour le prouver.

LE VAGABOND

D'accord ! Vous possédez la conclusion, ensuite vous cherchez les arguments : vous raisonnez comme un tambour, vous !

O'NEILL

Pourquoi s'agite-t-il tant pour installer ses amis ici ? Leur judéité masque leur nature de bolcheviques.

LE VAGABOND

Ça me dépasse… Larguez-moi. Rendez-moi ma liberté.

O'NEILL

Hors de question. Les jours qui viennent seront particulièrement intéressants. Ouvrez vos oreilles : les événements vont obliger le lièvre à sortir du bois.

O'Neill s'éloigne.

LE VAGABOND

Que se passe-t-il ?

O'NEILL

Hitler a envahi la Tchécoslovaquie ce matin. En Europe, la guerre va commencer.

3

Affolé, essoufflé, venant de la route, le vagabond bondit, inquiété par ce qu'il aperçoit au loin, sur le lac. Avec de larges gestes, il interpelle quelqu'un.

LE VAGABOND
Attention ! Mais... mais ce n'est pas possible... Attention... Faites gaffe... Vous allez finir dans l'eau si... Relevez... bon Dieu... relevez... allez à droite...

Soudain, il pousse un cri.

LE VAGABOND
Putain, il s'est renversé !

Il s'effraie.

LE VAGABOND

Vous savez nager ? *(Un temps.)* Hé... hé... Monsieur Einstein, répondez ! Vous savez nager ?

Le vagabond a soudain l'air consterné

LE VAGABOND

Je cauchemarde : il ne bouge plus, il ne répond pas. *(Fort, au lointain.)* Vous êtes blessé ? Vous avez reçu un coup ? Hé, oh ! *(Pour lui.)* Il s'est assommé !

Il se décide à plonger. Il pose son sac et quitte la scène.

LA VOIX DU VAGABOND *(off)*

Oh, oh, réveillez-vous ! Monsieur Einstein ? Vous êtes dans l'eau. Vous allez nourrir les poissons si vous ne rejoignez pas la rive. Monsieur Einstein... Oh merde, je n'ai plus pied. Je... je... Au secours ! Au secours ! À moi !

Bruits de claques sur l'eau. Soudain silence. Enfin, apparaît Einstein qui porte le vagabond jusqu'à la berge. Celui-ci a l'air plus mal en point que le savant.

Assis au sol, le vagabond tousse, crache, se remet, très choqué.

Puis il se tourne vers Einstein, ivre de fierté.

LE VAGABOND
Je vous ai sauvé la vie !

Einstein sourit sans démentir, l'esprit ailleurs.

LE VAGABOND
Que vous est-il arrivé ?

EINSTEIN
Rien…

LE VAGABOND
Comment ça, rien ? D'abord, vous avez conduit votre bateau plus mal qu'une poule au volant d'une décapotable. Ensuite, quand vous avez été éjecté, vous êtes resté inerte.

EINSTEIN
Ah oui ?

LE VAGABOND
Le choc ? Vous aviez reçu un coup ? L'eau froide ?

EINSTEIN
Je ne sais pas. Un peu de tout ça sans doute.

LE VAGABOND
Et vous vous taisez alors que je vous parlais ! Vous ne m'entendiez pas ?

EINSTEIN
Je réfléchissais…

Le vagabond constate qu'Einstein semble soucieux.

LE VAGABOND
Un problème scientifique ?

EINSTEIN
Si seulement… *(Soudain, il se tâte avec anxiété.)* Ma lettre ! Pourvu que…

Après avoir ausculté ses poches, il sort une lettre de l'intérieur de sa veste.

EINSTEIN
Stupéfiant… même pas mouillée…

LE VAGABOND
Ça, c'est un signe.

EINSTEIN
Pardon ?

LE VAGABOND
Le signe qu'il faut l'envoyer…

Einstein la lâche, comme découragé.

EINSTEIN
Je ne crois pas aux signes. Si vous saviez comme elle me coûte, cette lettre… Jamais je n'ai été aussi déchiré.

VAGABOND
Déchiré ?

EINSTEIN
Partagé.

Einstein contemple le vagabond, hésite à parler, puis se redresse soudain.

EINSTEIN

Vous ne pouvez pas grelotter ainsi… vous allez faire une crise d'hypertension. Je vais vous chercher un plaid dans ma voiture. Attendez-moi.

Il sort.

LE VAGABOND

Votre lettre ?

EINSTEIN *(off)*

Surveillez-la. Elle devrait se tenir tranquille, mais si un intrus s'approche, sortez les crocs et aboyez.

Effrayé par cette responsabilité, le vagabond se glisse vers la lettre, comme si elle était quelqu'un, et se penche pour lire l'adresse.

Il siffle d'émerveillement.

LE VAGABOND

Mazette ! Une lettre au président Roosevelt ? Il doit l'engueuler, je parie.

Puis il tique à cause d'un bruit au loin. Lorsqu'il devine qu'il s'agit d'O'Neill, il a le réflexe de couvrir l'enveloppe.

L'agent s'approche, antipathique.

O'NEILL

Appliquez-vous. Hier, il s'est produit chez Einstein un va-et-vient suspect. Il a reçu des savants étrangers avec lesquels il a passé des heures en conciliabule.

LE VAGABOND

Il n'est pas dans son assiette. Selon moi, tout à l'heure, il a tenté de boire le bouillon.

O'NEILL

Se suicider, lui ? Impossible.

LE VAGABOND

Vous l'auriez vu balancer son bateau contre le plongeoir, puis se figer dans la flotte sans bouger un cil, vous penseriez pareil.

O'NEILL

Pas son genre.

LE VAGABOND
Vous avez vu comme je l'ai sauvé ?

O'NEILL *(aigre)*
Ah oui ? Vous avez coulé. C'est lui qui vous a sorti la tête des flots et vous a ramené à la nage sur son dos.

Le vagabond hausse les épaules, préférant ignorer cette version.

O'NEILL
De quoi vous a-t-il parlé ?

LE VAGABOND
D'une lettre qu'il venait d'écrire et qui lui coûtait beaucoup.

O'NEILL
Ah, si nous pouvions mettre la main dessus !

LE VAGABOND *(hypocrite)*
Sûr.

O'NEILL
À qui est-elle adressée ?

LE VAGABOND
Il ne me l'a pas dit.

O'NEILL
Bon, il va revenir, je décampe. Tâchez de découvrir le contenu de cette lettre.

O'Neill disparaît.
Le vagabond remet la lettre là où elle était et reprend sa position d'attente en claquant des dents.
Einstein arrive.

EINSTEIN
Voilà.

Il lui pose un plaid sur les épaules.
Puis ses yeux aperçoivent la lettre et il s'assombrit.

EINSTEIN
J'ai vu quelqu'un, là-bas, non ?

LE VAGABOND
Oui, un promeneur qui cherchait le restaurant le

plus proche. Une sale gueule. Je ne voudrais pas être la saucisse qu'il va bouffer.

Einstein s'assoit, s'emmitouflant dans un deuxième plaid.

EINSTEIN
La situation m'inquiète…

LE VAGABOND
Trop ! Vous noircissez tout. En mars, vous pensiez que la guerre allait éclater parce que l'Allemagne avait pénétré en Tchécoslovaquie ; nous sommes en août et que s'est-il passé ? Rien ! Ça s'est arrêté là. La France, l'Angleterre, la Russie, les États-Unis n'ont pas moufté.

EINSTEIN
Une honte…

LE VAGABOND
Il n'y aura pas de guerre.

EINSTEIN
Il y aura la guerre. Même si la France, l'Angleterre, la Russie et les États-Unis n'en veulent pas, l'Allemagne, elle, y est résolue. Ce n'est plus qu'une ques-

tion de semaines, voire de jours. *(Avec violence.)* Je hais cette guerre mais nous devons la gagner.

Il se lève, hors de lui, et débite soudain ce qui l'obsède :

EINSTEIN *(avec fièvre)*
Vous vous rendez compte ? L'uranium va pouvoir être converti en une nouvelle source d'énergie.

LE VAGABOND *(bouche bée)*
L'ura... ?

EINSTEIN *(hors de lui)*
Il est devenu possible d'envisager une réaction nucléaire en chaîne dans une grande quantité d'uranium.

LE VAGABOND *(perdu)*
Non ?

EINSTEIN
Ça permettra de générer beaucoup d'énergie et de très nombreux éléments de type radium !

Il a proclamé cela avec fureur, comme une évidence. Il attend une réplique de son interlocuteur.

LE VAGABOND *(hagard)*

Dites-moi la même chose en chinois parce que, là, j'ai perdu ma boussole.

EINSTEIN

On va pouvoir créer une bombe nucléaire, la bombe la plus puissante, la plus meurtrière qui ait jamais existé ! Son pouvoir destructeur passera des millions de fois celui des explosifs ordinaires. Une seule de ces bombes suffira à anéantir New York !

LE VAGABOND *(effaré)*

Nom de Dieu !

Einstein désigne le sol avec emphase et fureur.

EINSTEIN

Et c'est là !

Le vagabond sursaute, effrayé.

LE VAGABOND

Quoi ?

EINSTEIN
Là !

LE VAGABOND *(paniqué)*
Là ?

EINSTEIN
Là ! Dans cette enveloppe !

Le vagabond recule, croyant que l'enveloppe contient la bombe.
Tous deux la considèrent avec horreur.
Moment suspendu. Silence.

LE VAGABOND *(chuchotant)*
Quand va-t-elle exploser ?

EINSTEIN
Bientôt.

LE VAGABOND *(en nage)*
Bientôt, c'est quand ?

EINSTEIN
Je ne sais pas. Six mois. Un an. Deux ans peut-être…

LE VAGADOND
Ah bon… Pas avant ?

EINSTEIN
Le temps qu'elle soit au point.

LE VAGABOND *(soupirant, soulagé)*
Ah… Donc, là, ce n'est pas la bombe ?

EINSTEIN
Non.

LE VAGABOND *(rassuré mais encore sur ses gardes)*
Alors, c'est quoi ?

EINSTEIN
Ma trahison.

Le vagabond, interloqué, regarde Einstein qui souffre.

EINSTEIN *(la tête entre les mains)*
Ah mon Dieu, pourquoi ? Pourquoi moi ?

Un temps.

LE VAGABOND
Oui. Pourquoi ?

Einstein, perdu dans ses pensées, frissonne.

EINSTEIN
Pardon ?

LE VAGABOND
Pourquoi vous jouez du crayon avec le Président ?

EINSTEIN
La communauté scientifique doit avertir les autorités. Mes amis, Szilard et Wigner, estiment qu'il faut un savant universellement reconnu pour expliquer aux politiciens l'importance de ce qui se prépare. Ça tombe sur moi.

Il brandit la lettre.

EINSTEIN
Les Allemands ont retiré du marché l'uranium extrait des mines de Tchécoslovaquie, ce qui prouve qu'ils se sont lancés dans la fabrication de la bombe. Issu de ce pays, je connais son efficacité,

sa détermination, la qualité de ses scientifiques, même si beaucoup ont fui depuis 1933, et j'en conclus qu'ils seront capables de produire un jour la machine infernale pour Hitler. Il n'y a pas une seconde à perdre, nous devons les prendre de vitesse. *(Un temps.)* Vous rendez-vous compte ? Je suis en train d'encourager les militaires à réaliser l'explosif le plus dévastateur, moi !

LE VAGABOND
Quelle excellente nouvelle.

EINSTEIN
Pardon ?

Le vagabond se lève, presque au garde-à-vous, gonflé d'orgueil.

LE VAGABOND
Je suis ravi que, grâce à vous, les États-Unis possèdent bientôt l'arme suprême.

EINSTEIN *(ébahi)*
Je ne le fais pas pour les États-Unis, je le fais contre Hitler, seulement contre Hitler. Si cette bombe

d'uranium glisse dans les mains des fascistes, la civilisation sera condamnée. Je défends une idée, un monde, une culture. Pas un pays ni un gouvernement.

LE VAGABOND

Ttt ttt ttt, vous êtes un ami des États-Unis. Mieux : un patriote. *(Il lui tapote l'épaule, tel un général qui complimente un soldat.)* J'espère que vous recevrez bientôt vos papiers de naturalisation. *(Il ajoute, fanfaron, inspiré :)* Maintenant, je saisis pourquoi tantôt, j'ai bravé le danger pour vous repêcher... J'ai fait mieux qu'accomplir mon devoir : j'ai sauvé le héros qui sauvera l'Amérique.

Le vagabond, ému par ce qu'il dit, essuie une larme au coin de son œil.

Einstein demeure interloqué.

Le vagabond désigne le côté gauche.

LE VAGABOND

Bon maintenant, faut absolument que je m'enfile une bière. Toute cette flotte malsaine, ça va me rouiller les boyaux.

Il disparaît, croyant que le savant le suit.

Resté seul, Eintein saisit la lettre et la déchire avec rage en poussant un cri furieux.

Puis il secoue la tête, effondré, avec la détresse de l'homme que personne ne comprend.

Le vagabond réapparaît.

LE VAGABOND

Vous venez ?

EINSTEIN

Oui !

Avant de partir, Einstein récupère les lambeaux de papier, voit s'il peut les recoller ensemble, décidé à envoyer quand même son message à Roosevelt.

4

Une musique, pure, généreuse, monte dans la nuit, accordée à la splendeur de l'univers.

Le vagabond, assis, écoute avec ravissement.

Puis Einstein entre en jouant ce morceau au violon. À cause d'une fausse note subite, il cesse et s'accroupit à côté du vagabond.

EINSTEIN

Que faites-vous ?

LE VAGABOND

Rien.

EINSTEIN

Ce ne fut pas mon cas aujourd'hui.

LE VAGABOND

Tant mieux. Ma fainéantise n'atteint le pic du plaisir que si les autres travaillent.

Ils admirent tous deux le ciel, émerveillés.

LE VAGABOND *(désignant la voûte céleste)*
Bienvenue sous mon toit.

EINSTEIN
Merci.

LE VAGABOND
Je ne m'en lasse pas. Tant d'étoiles…

EINSTEIN
Deux choses sont infinies : l'univers et la bêtise humaine. Et encore, pour l'univers, je n'ai pas de certitude absolue.

Un temps.

EINSTEIN
Incroyable comme la lune est grosse ! Énorme… Je n'ai jamais vu ça.

Le clochard jette un œil réjoui sur l'astre argenté.

LE VAGABOND

Ouais, je dois avouer que je ne suis pas mécontent de moi.

EINSTEIN

Ah, c'est vous qui... ?

LE VAGABOND

Ouais.

EINSTEIN

Félicitations.

LE VAGABOND

Je vous la cède à dix dollars.

EINSTEIN

Dix dollars une lune aussi majestueuse ? Un prix qui ne se discute même pas.

Il sort un billet dans sa poche et le tend au clochard qui s'en empare.

LE VAGABOND

Vous agissez en seigneur, vous, parce que, franchement, ma lune, je vous l'aurais bradée à cinq dollars.

EINSTEIN

Non, vous vous conduisez en prince : une berge sublime, le lac à perte de vue, l'écume des vagues argentée, et une lune… une lune… une lune…

LE VAGABOND

Ouais ! Rare que je la réussisse si bien.

EINSTEIN

Et ce bruit discret, enveloppant, comment cela s'appelle-t-il déjà… ?

LE VAGABOND

Les grillons : ma chorale.

EINSTEIN

Félicitations !

Il dégaine un nouveau billet pour le remercier mais le clochard arrête son geste.

LE VAGABOND

Permettez : cadeau de la maison.

EINSTEIN *(insistant)*

Oh !

LE VAGABOND *(prenant le billet)*
Merci pour eux.

Ils soupirent de plaisir.

LE VAGABOND
Vous croyez en Dieu, vous ?

EINSTEIN
Définissez d'abord ce que vous entendez par Dieu et je vous dirai si j'y crois.

LE VAGABOND
Celui qui a fabriqué tout ça.

EINSTEIN
Être physicien, c'est chercher à connaître les pensées de Dieu.

LE VAGABOND
Ça veut dire quoi ? « Oui » ?

EINSTEIN
Si la foi constitue une passion pour le mystère, alors je crois. Car ce qui demeure éternellement incompréhensible dans la nature, c'est qu'on puisse la comprendre. Plus j'étudie et j'avance à la

poursuite de la vérité, plus je m'étonne et m'émerveille. Le savant ressuscite l'enfant en moi.

LE VAGABOND
Là-bas, en Europe, nos soldats regardent-ils aussi le ciel ?

EINSTEIN
Non, la guerre rend myope et plie les cous. Dans un viseur, on ne scrute que la boue.

LE VAGABOND
N'empêche, voyez que vous péchiez par pessimisme, les États-Unis sont finalement entrés en guerre.

EINSTEIN *(ironique)*
Oh oui, j'ai toutes les raisons de crever d'optimisme : la guerre se mondialise.

LE VAGABOND
Important que les États-Unis viennent au secours de l'Angleterre, la France et les autres.

EINSTEIN
Trois ans ! Il leur a fallu trois ans et l'attaque de Pearl Harbor par les Japonais. Je n'ose compter déjà le nombre de morts.

LE VAGABOND
N'empêche !

EINSTEIN *(approuvant de la tête)*
N'empêche. Oui. C'est bien. *(Soudain perplexe.)* Ah, j'ai rendez-vous à 22 heures. Quelle heure est-il ?

LE VAGABOND
22 heures justement…

EINSTEIN *(s'apaisant aussitôt)*
C'est encore un peu tôt pour arriver en retard.

LE VAGABOND
Vous faites toujours comme ça ?

EINSTEIN
J'ai remarqué que les gens en retard affichent une bien meilleure humeur que les gens en avance.

Einstein sort trois crayons et entreprend de les tailler.

LE VAGABOND
Et la bombe ?

EINSTEIN
Une équipe dirigée par Oppenheimer s'est mise au travail. Cependant, les nazis ont commencé avant nous car le président Roosevelt a mis deux ans à soupeser la menace.

LE VAGABOND
Pourquoi ne faites-vous pas partie de l'équipe ?

EINSTEIN
Je me pose la même question. D'autant que je suis naturalisé américain. Et sans doute pas l'Américain le plus ignorant en physique nucléaire.

LE VAGABOND *(essayant de plaisanter)*
Encore une énigme.

EINSTEIN
Oui, mais minable ! La différence entre les mystères de Dieu et les énigmes des hommes, c'est que Dieu ne se montre jamais mesquin.

LE VAGABOND
Ils vous ont peut être jugé… vieux ?

EINSTEIN

L'âge produit des effets contradictoires sur nous : il fatigue certains, il en entraîne d'autres. Mon cerveau reste fertile, je l'ai prouvé ces dernières années.

LE VAGABOND

Vous n'êtes pas expert en armes !

EINSTEIN

Ah bon ? Alors, pourquoi la Marine m'emploie-t-elle pour résoudre ses problèmes d'explosifs ? Je lui ai déjà donné beaucoup de satisfactions.

LE VAGABOND

Quelle chance vous avez ! Moi, je les ai tannés pour aller au combat, ils ne veulent pas de moi : ils trouvent que je pue le camphre.

EINSTEIN

Pardon ?

LE VAGABOND

Je sens la fin de saison. J'ai trop de flacon. Je suis vioque. *(Un temps.)* Ils avancent, les chercheurs de bombe nucléaire ?

EINSTEIN

Figurez-vous que je l'ignore. On a dressé un mur de silence entre eux et moi, même avec les Européens que je connaissais bien. On a dû leur donner des ordres. Cela vient du gouvernement.

LE VAGABOND

Votre réputation de... d'homme de gauche... a retenu les politiciens ? Vous soutenez l'amitié avec l'URSS.

EINSTEIN

Plusieurs physiciens de premier plan ont des opinions politiques identiques aux miennes et l'armée n'a pas hésité à les engager. *(Un temps.)* Il doit y avoir quelque chose d'autre... j'ignore quoi.

Il se lève.

EINSTEIN

Bonsoir, mon ami. Je suis obligé de vous quitter car j'ai promis aux marins de leur résoudre un méchant problème technique pour demain.

LE VAGABOND

Vous ne dormez jamais ?

EINSTEIN
Je ne dors pas longtemps mais je dors vite.

Ils rient.
Einstein lui adresse un court salut et disparaît.
Après quelques secondes, l'homme en noir se faufile auprès du vagabond.

O'NEILL
A-t-il des informations ?

LE VAGABOND
Zéro. Il se plaint que personne ne communique avec lui.

O'NEILL *(soulagé)*
Impeccable ! Excellent !

LE VAGABOND
Il rouspète, il ne capte pas pourquoi il a été écarté du projet.

O'NEILL
Pense-t-il que les Allemands sont avancés ?

LE VAGABOND
Il espère que non.

O'NEILL *(avec un ton glacé)*
Vous en êtes certain ?

Le vagabond tremble, hésite, puis affirme :

LE VAGABOND
Certain. *(Changeant de ton, plus incisif.)* Avez-vous pu intervenir pour moi ? Pour que je rentre dans l'armée ? Je crève de moisir ici sans servir.

O'NEILL
C'est en nous rapportant les bavardages d'Einstein que vous êtes utile au pays.

Le vagabond soupire, conscient que O'Neill n'intercédera pas en sa faveur.

LE VAGABOND
Pourquoi vous en méfiez-vous autant ?

O'NEILL
Je n'ai pas à vous donner d'éclaircissements.

LE VAGABOND *(vexé)*
Ah oui ? Moi je pourrais m'engueuler avec lui ! Et vous n'apprendriez plus une broque.

O'Neill le toise, agacé.

O'NEILL

Je ne vous le conseille pas.

LE VAGABOND

M'en fous ! Suis assez taré pour vous envoyer bouler. *(Un temps.)* Pourquoi ?

Un long silence. O'Neill, tendu comme un arc, finit par lâcher :

O'NEILL

Il est allemand.

LE VAGABOND

Et alors ?

O'NEILL *(entêté)*

Il est allemand.

LE VAGABOND

Non, je cauchemarde ! Vous considérez que, parce qu'il est allemand, il pourrait donner des renseignements aux Allemands ?

O'NEILL *(raide)*

Un Allemand reste un Allemand.

LE VAGABOND

Il combat Hitler, les fascistes, les nazis.

O'NEILL

Raison de plus ! S'il n'a rien contre les Allemands, tout contre les nazis, il pourrait donc renseigner les Allemands non nazis. Qui vous certifie qu'il n'a pas alerté Roosevelt dans ce dessein ? Qui vous garantit que son intention n'était pas d'informer minute par minute ses compatriotes du projet nucléaire, de leur fournir les progrès obtenus ici qui leur manqueraient ?

LE VAGABOND

Vous ne pincez pas une miette de son esprit : s'il a prévenu Roosevelt, c'est par antifascisme.

O'NEILL

Antifasciste, comme vous dites ! Il a des sympathies bolcheviques. À supposer qu'il boude les Allemands, qui nous assure qu'il ne rencarde pas les Russes ? Le cas échéant, ce serait Staline qui possèderait la première bombe nucléaire. À cause de notre négligence.

LE VAGABOND

Vous le voyez trop filandreux… Il vient d'obtenir la naturalisation, il est loyal, réglo, il n'a pas de porte de derrière…

O'NEILL

Pfut ! Son attachement aux États-Unis reste pas clair. Jamais il n'a clamé son amour pour notre pays.

LE VAGABOND

Enfin, s'il espionnait, il l'aurait braillé, son boniment patriotique, et il l'aurait agité, son petit drapeau.

O'NEILL

Décidément, il vous a ensorcelé.

LE VAGABOND

Non, nous sommes souvent en bisbille. Cependant le bonhomme, je l'apprécie, je le respecte, je le comprends.

O'NEILL *(sarcastique)*

Vous le comprenez ? Vous, vous cernez Albert

Einstein, une célébrité planétaire, celui qui a révolutionné les sciences et la façon de penser ? Pour qui vous prenez-vous ?

LE VAGABOND *(se tassant soudain)*
D'accord, je ne suis qu'un misérable ver de terre, je ne…

O'NEILL *(méprisant)*
Taisez-vous. Vous n'êtes même pas assez important pour jouer les modestes.

Le vagabond est tellement humilié par cette saillie qu'il ne répond pas.

O'NEILL
En tout cas, moi je l'avoue, et je le déclare sans aucune honte : je ne comprends rien à ce boche ! Et parmi ses nombreux secrets, celui que je saisis le moins, c'est pourquoi il perd son temps à discuter avec vous. Bonsoir.

Il sort.

De rage, le vagabond saisit son sac et l'envoie rouler au loin.

5

Einstein, sous le firmament étoilé joue du Bach au violon. La musique monte vers les astres, droite, nette, apaisante, superbe.

Soudain, Einstein a le sentiment qu'un malheur fond sur lui. Il frémit.

Derrière lui – dans une autre partie du globe et dans son imagination – apparaît le champignon de fumée créé par la bombe atomique.

Einstein arrête son archet sur les cordes et découvre la catastrophe.

Il se met à trembler, bouleversé, terrifié.

EINSTEIN

Mon Dieu…

Sous ce ciel que le nuage de particules noircit de plus en plus, il demeure immobile, minuscule, dérisoire, impuissant devant les tonnes de forces pures et violentes qui se déchaînent sur la planète.

Noir

6

Dans l'obscurité, la bombe explose. Vacarme, tremblements, saturation de l'air, vents violents, fumée, tout donne l'impression que la vie s'achève.

Puis la lumière revient sur la paisible berge.

On voit le vagabond et O'Neill, côte à côte, des feuilles de journaux à la main.

Il fait un temps radieux en ce jour d'août 1945.

Les deux hommes, oubliant leurs différends, se ruent dans les bras l'un de l'autre.

LE VAGABOND

On a gagné ! On a gagné !

O'NEILL

L'Amérique triomphe ! Nous sommes les plus forts. Enfoncés, les Japonais !

LE VAGABOND
Un whisky ?

O'NEILL
Pas pendant le service. Et je ne bois pas.

LE VAGABOND
Quoi ?

O'NEILL
Allez, vous avez raison ! Si je ne le fais pas aujourd'hui, je ne le ferai jamais. Et puis j'ai soif !

Alors que le vagabond trifouille son sac à la recherche d'un gobelet, O'Neill s'empare de la bouteille et, sans attendre, boit le whisky au goulot. Le vagabond découvre la situation, un peu surpris.

O'Neill s'essuie la bouche.

O'NEILL
Youpi ! À Hiroshima !

LE VAGABOND
À Hiroshima ! Maintenant, il est certain que les Japonais vont se rendre.

O'NEILL

Des fous, les Japs ! Des enragés ! Les pilotes, en visant une cible, préféraient exploser avec leur avion que la rater. Ça provoquait l'hécatombe dans nos troupes. Du coup Truman a lancé la bombe. Ah, quel bonheur ! À Hiroshima !

LE VAGABOND

À Hiroshima !

O'Neill arrache la bouteille des mains du vagabond et engloutit encore du whisky. Il en absorbe une quantité dangereuse pour un homme peu accoutumé à boire.

En lâchant le goulot, il glapit de joie, tel un cow-boy qui chevauche un étalon sauvage.

O'NEILL

Youpi !

LE VAGABOND

Vous ne viendriez pas du Texas, vous ?

O'NEILL

Comment l'avez-vous deviné ?

Il reprend la bouteille, découvre qu'elle est vide.

O'NEILL

Attendez. Je crois que j'en ai une dans ma voiture.

LE VAGABOND

Non, ce n'est pas la peine. Ça suffit. Surtout si vous n'avez pas l'habitude de l'alcool. Il vaut mieux…

O'NEILL

Si, si. J'avais confisqué une bouteille à un témoin que j'interrogeais. Je l'ai gardée dans ma malle. Attendez-moi.

Il disparaît en bramant « Youpi ».

Einstein arrive, grave, et descend lentement vers le vagabond. Celui-ci, tel un cancre voyant surgir un professeur, essaie de se redonner une contenance.

EINSTEIN

Vous êtes au courant ?

LE VAGABOND
Nous vivons un jour historique.

EINSTEIN
Sûr que c'est un jour qui marquera l'histoire, s'il y a encore une histoire…

LE VAGABOND *(levant le bras en signe de victoire)*
Fin de la Deuxième Guerre mondiale !

EINSTEIN *(marmonnant)*
Je ne sais pas comment se déroulera la Troisième Guerre mondiale, en revanche je suis certain qu'il n'y aura pas foule pour commenter la Quatrième. L'Amérique a gagné la guerre mais l'humanité a perdu la paix. *(Avec fureur.)* Quelle trahison ! Nous préparions la bombe pour lutter contre les Allemands et voilà que Truman la balance sur les Japonais.

LE VAGABOND
Nos ennemis !

EINSTEIN
Roosevelt n'aurait jamais fait ça ! Roosevelt se serait contenté d'une démonstration de puissance dans le désert, sans victimes, pour refroidir les

Japonais. S'il n'était pas mort, il aurait retenu son vice-président, ce Truman ignorant, imbécile, obtus, qui massacre les Japonais pour devancer les Russes, pour empêcher des communistes de libérer l'Asie !

O'Neill revient, complètement saoul, en brandissant une bouteille.

O'NEILL
Et voilà une autre bouteille pour arroser la bombinette ! À Hiroshima !

Einstein se retourne vers lui.

EINSTEIN
Vous fêtez les massacres, monsieur ?

O'NEILL
Merde, la cible !

Il s'arrête, oscillant d'avant en arrière tant il a du mal à garder son équilibre.

EINSTEIN
À qui ai-je l'honneur ?

O'NEILL
Oh putain le con !

EINSTEIN *(tendant la main comme s'il s'agissait d'une présentation)*
Enchanté, moi c'est Albert Einstein.

O'NEILL
Normalement, vous êtes censé ne pas me voir. *(Il agite les bras.)* Vous me voyez là ? *(Einstein approuve de la tête. O'Neill masque ses yeux avec sa main.)* Et là ?

EINSTEIN
Non, là je ne vous vois plus.

O'NEILL
Ouf… je reste comme ça…

Haussant les épaules, Einstein revient au vagabond.

EINSTEIN
Truman vient de provoquer le plus colossal

carnage de l'histoire et il s'en vante. Tambours et trompettes ! Triomphe ! Apothéose ! Il nous régale avec des additions de boutiquier : « nous avons créé des centaines d'emplois », « nous avons déboursé peu d'argent pour un résultat maximum », « nous sommes les plus forts ! ».

O'Neill ne peut s'empêcher de s'exclamer :

O'NEILL
Youpi ! À Hiroshima !

Furieux, Einstein se tourne vers lui.

EINSTEIN
Soyez décent s'il vous plaît.

O'NEILL *(ivre, se dissimulant derrière sa main)*
Vous ne me voyez pas !

EINSTEIN
Je vous entends ! Cette bombe a été larguée sur une ville moyenne, une cité d'environ trois cent mille habitants. Ceux qui n'ont pas péri aussitôt trépasseront dans les jours qui viennent, soit de

leurs blessures, soit d'irradiation, soit des incendies causés par la chaleur.

O'Neill cesse de se cacher derrière sa main et sourit à Einstein. Celui-ci poursuit, indigné :

EINSTEIN
Trois cent mille hommes, femmes, enfants. Trois cent mille innocents. Des civils.

O'NEILL
Attention ! Minute ! *(Il précise en vacillant tant il est saoul.)* Trois cent mille Japonais.

EINSTEIN
Oui ?

O'NEILL
Premièrement, les Japonais sont nos ennemis. Deuxièmement, les Japonais sont… des Japonais

Einstein, pour se soulager de sa colère, décide de s'intéresser à O'Neill et s'approche, les yeux brillants.

EINSTEIN
Vous êtes trop subtil pour moi, monsieur… monsieur comment déjà ?

O'NEILL
Einstein.

EINSTEIN
Non, ça c'est moi. Vous ?

O'NEILL
O'Neill. Patrick O'Neill.

EINSTEIN
O'Neill. Quel merveilleux patronyme. Tellement américain. J'aurais aimé m'appeler O'Neill. Albert O'Neill… cela ne sonne-t-il pas comme le nom d'un brave garçon ?

O'NEILL *(ému)*
Merci.

EINSTEIN
Alors, monsieur O'Neill, continuez votre analyse. Lorsque vous nous rappelez que les Japonais sont des Japonais, suggérez-vous qu'un Japonais vaut moins qu'un Américain ?

O'NEILL

Voilà !

EINSTEIN

Permettez-moi d'insister pour connaître les rouages de votre prodigieuse pensée : si une telle bombe devait tomber ici, aux États-Unis, souhaiteriez-vous qu'elle tombe sur un quartier blanc ou sur un quartier noir ?

O'NEILL *(avec évidence)*

Un noir.

EINSTEIN

Car un Noir vaut moins qu'un Blanc. *(O'Neill approuve.)* Mais un Noir américain, ça vaut autant ou plus qu'un Japonais ?

O'Neill réfléchit.

EINSTEIN

Oui, difficile, je sais. Dès qu'on considère que les hommes ne s'équivalent pas, on entre dans des finesses qui échappent aux esprits frustes. Précisez, monsieur O'Neill. Un Japonais ? Un Noir américain ?

O'NEILL *(avec une grimace)*
Le Noir américain vaut plus.

EINSTEIN
Oh, cela résonne admirablement, ce que vous me confiez là. Si typique d'une mentalité avancée… Nous conclurons donc, au final, qu'un Blanc américain coûte quatre Noirs américains, et quatre Noirs américains égalent… huit Japonais ?

O'Neill fait un geste pour que le chiffre grossisse.

EINSTEIN
Seize Japonais ?

O'Neill le presse de monter.

EINSTEIN
Trente-deux ? soixante-six ? cent douze ? Oui, vous avez raison : cent douze !

O'Neill, enthousiasmé, prend le vagabond à témoin.

O'NEILL
Génial, le génie... Y comprend tout. *(Il s'adresse à Einstein.)* Je vais vous apprendre une chose, monsieur Nein... Neinstein... vous n'êtes pas rouge. Non ! Z'êtes pas rouge. Je leur dirai... là-haut... à...

Le vagabond intervient pour l'empêcher de gaffer.

LE VAGABOND
Bon allez, le docteur Einstein n'a pas le temps de bavasser avec vous.

O'NEILL
C'est un as...

Einstein murmure entre ses dents.

EINSTEIN
Qu'il se taise, par pitié.

Énergique, le vagabond entraîne O'Neill.

LE VAGABOND

Je vais vous raccompagner à votre voiture, d'accord ?

O'NEILL

D'accord. *(D'une voix suppliante.)* Croyez que je peux lui dire...

LE VAGABOND

Non !

O'NEILL

Si, j'ai besoin...

LE VAGABOND

Quoi ?

O'NEILL

De le remercier.

LE VAGABOND

Le remercier ?

Soutenu par le vagabond, O'Neill s'arrête devant Einstein et, chancelant, articule avec peine :

O'NEILL
Merci, monsieur Einstein : merci pour la bombe !

Tête effrayée du vagabond. Einstein sursaute aux mots prononcés par le soulard.

EINSTEIN
Pardon ? Qu'avez-vous dit ?

O'NEILL
La bombe ! Merci pour la bombe ! C'est grâce à vous !

EINSTEIN
Quoi ? Mais comment…

Le vagabond est si désireux d'interrompre cette altercation qu'il lâche O'Neill, saisit la bouteille de whisky et la lui tend.

LE VAGABOND
Tiens, mon vieux, bois un coup avant de reprendre la route.

O'Neill est tenté, les yeux étincelants.

O'NEILL
Pas trop ?

LE VAGABOND
Mais non ! Un jour pareil ! À Hiroshima !

O'NEILL
À Hiroshima !

O'Neill boit, avalant goulûment le contenu de la bouteille. Quand il achève, le vagabond crie :

LE VAGABOND
Youpi !

L'œil vague, la bouche molle, l'air abruti, O'Neill tombe à terre.

Le vagabond se penche pour vérifier qu'il est inconscient.

LE VAGABOND
Coma éthylique, parfait ! *(Se justifiant auprès d'Einstein.)* Je ne pouvais pas le laisser conduire sa voiture dans cet état.

EINSTEIN

Qui est-ce ?

LE VAGABOND

Un Américain moyen.

EINSTEIN

Ça, je l'avais bien saisi, merci. Son métier ?

LE VAGABOND

Représentant de commerce – ils le sont tous.

EINSTEIN

Représentant de commerce ? Il tiendrait mieux l'alcool… Où veut-il en venir avec son « Merci monsieur Einstein pour la bombe » ? J'ai eu l'impression qu'il croyait que j'avais fabriqué la bombe atomique.

LE VAGABOND

Ah oui ?

EINSTEIN

Oui. C'est crétin !

LE VAGABOND

C'est crétin, donc ça n'a pas d'importance.

EINSTEIN *(remonté)*
Ce qui est crétin a beaucoup d'importance car la crétinerie recèle de fortes chances d'être crue, répétée, jusqu'à devenir banale et passer pour une vérité. Plus facile de désintégrer un atome qu'un préjugé.

LE VAGABOND
Possible qu'il suppose… que… c'est grâce à vos travaux… que…

EINSTEIN
Que quoi ?

LE VAGABOND
Qu'on a pu créer la bombe nucléaire.

Un temps. Einstein contemple le vagabond.

EINSTEIN
Et vous choisissez aujourd'hui pour me dire ça ? *(Einstein se presse la tête entre les mains.)* Insensé !

LE VAGABOND
Monsieur Einstein… vous y êtes pour quelque chose ?

Einstein pousse un hurlement de bête traquée :

EINSTEIN

Non ! Je me reproche une chose, d'avoir écrit à Roosevelt… car j'ai appris récemment que les Allemands n'étaient pas autant avancés que je le croyais. *(Tempêtant.)* Si j'avais su que les nazis échouaient à fabriquer la bombe atomique, je n'aurais pas levé le petit doigt. J'ignorais qu'Hitler avait découragé les scientifiques en condamnant la recherche nucléaire, cette invention juive basée sur une théorie juive !

LE VAGABOND

Votre théorie ?

Traqué, Einstein se reprend, hésite, bafouille.

EINSTEIN

Non… *(Avec violence.)* Je n'ai ni inventé, ni inspiré la bombe atomique. Mes équations ne visaient pas l'apocalypse. Mes investigations restaient théoriques, purement théoriques, des travaux de physique fondamentale. Je spéculais de façon...

Il s'assoit, essoufflé, et avoue, baissant la garde :

EINSTEIN

Un Français, Becquerel, a découvert la radioactivité en 1896, mais c'est moi qui, dans la théorie de la relativité, ai établi que la masse et l'énergie représentent deux aspects de la même réalité. Oui, j'ai eu une intuition, celle qu'il y avait de l'énergie tapie dans la matière. Cela a posé les bases de la physique nucléaire. À partir de là, tout le monde a deviné la suite. Dès 1939, chacun s'est convaincu de la possibilité d'une réaction en chaîne : l'énergie libérée par fission produirait de nouveaux neutrons qui relanceraient le processus. *(Au vagabond.)* La science n'a plus d'auteur, aujourd'hui, pas davantage que de nationalité. Elle avance seule, elle se sert de nous, elle nous utilise comme des marionnettes pour formuler les équations.

LE VAGABOND

Si, le soir où vous avez conçu votre théorie, quelqu'un vous avait annoncé la bombe d'Hiroshima, vous seriez-vous abstenu ?

Einstein, bouleversé, fixe le vagabond et réfléchit.

EINSTEIN
Quelle question !

LE VAGABOND
Quelle réponse...

EINSTEIN
Franchement, si c'était à refaire...

LE VAGABOND *(saisissant la balle au bond)*
Oui, si c'était à refaire ?...

EINSTEIN
Je serais plombier !

LE VAGABOND
Vous plaisantez ?

EINSTEIN
Être ou ne pas être Einstein... (*Un temps.*) Si c'était à refaire, j'agirais identiquement.

À ce moment-là, le corps allongé de O'Neill tressaute et lance :

O'NEILL
Youpi !

Sans y prêter plus d'attention, le vagabond lui donne une légère claque pour lui imposer le silence.

Einstein s'enferme la tête dans les mains.

Comme un écho du vent, on perçoit une explosion, des clameurs, des cavalcades, des sanglots d'enfants. Est-ce dans l'air du soir ou dans la tête des deux hommes ?

On ne doit pas le savoir.

Quand Einstein relève la tête, il pleure…

EINSTEIN
Je n'ai rien fait mais je ne pourrai pas me pardonner.

LE VAGABOND
Est-ce que Dieu avait le choix en créant le monde ?

7

Sous un soleil timide, le vagabond et O'Neill se rejoignent au bord de l'eau.

La bonhomie habituelle du vagabond est affectée de désarroi. Pâle, sur ses gardes, il est rongé par le souci.

O'NEILL

Maintenant, c'est certain, les Russes ont la bombe atomique. Ils l'ont fait exploser dans le désert, pour nous narguer.

LE VAGABOND

J'ai lu ça.

O'NEILL

Les cafards se sont infiltrés partout en Amérique, nous en avons la certitude. Comment croyez-vous que les bolcheviques ont fabriqué la bombe ? En nous volant les plans !

LE VAGABOND

Est-ce possible ?

O'NEILL

On peut multiplier les précautions, ajouter des gardiens, monter des murs, sécuriser les enceintes, rien n'empêchera un physicien de communiquer des formules et des équations. Et puis, il y a les femmes…

LE VAGABOND

Pardon ?

O'NEILL

Les services secrets russes n'hésitent pas à envoyer de belles femmes pour séduire les hommes importants puis recueillir leurs confidences. Ils en ont toujours fourni au docteur Einstein qui, paraît-il, n'a pas seulement la tête dans les étoiles mais souvent sur l'oreiller.

LE VAGABOND

Merde ! On a tout faux, vous et moi : faut être espionné, pas espion. *(Se ressaisissant.)* Vous voulez me faire croire qu'il leur gazouille des équations à l'oreille ! Vous l'accusez de traîtrise !

O'NEILL

Facile d'arriver à la traîtrise, il suffit d'avoir de bons sentiments. Prenez votre Einstein par exemple : il pestait tant après les explosions d'Hiroshima et de Nagasaki qu'il a crié qu'on devait retirer la bombe aux États-Unis et la confier à une force supranationale, un machin genre Nations unies. En 1946, il a constitué son Comité d'urgence des scientifiques atomistes, un groupe de pacifistes antinucléaires où se trouvent les chercheurs du Projet Manhattan, ceux qui ont travaillé à la construction de la bombe. Chaque fois qu'il le peut, il secoue l'opinion, il exige soit le transfert des armements, soit le désarmement total. Quand on s'agite comme ça, il n'y a qu'un pas pour confier un secret de fabrication aux Soviétiques.

LE VAGABOND

Vous parlez en l'air ou vous avez des preuves ?

O'NEILL

Nous avons des pistes. Einstein subit désormais une surveillance maximale. Tout est étudié, son courrier, sa poubelle, ses coups de fil, ses visiteurs. Nous ne laissons plus un détail de côté. Dès que nous nous sentirons prêts...

Le vagabond baisse la tête.

LE VAGABOND
Lynchage ?

O'NEILL
Procès, prison, expulsion, nous verrons. Un lynchage raffiné pour prix Nobel.

LE VAGABOND
On lynche beaucoup, ces derniers temps.

O'NEILL
Vous parlez des Nègres ? Mêlez-vous de ce qui vous regarde.

LE VAGABOND *(marmonnant)*
J'avais l'impression que ça me regardait, même si j'ai la peau blanche.

O'Neill le lorgne avec mépris, d'une façon censée lui imposer le silence.

O'NEILL *(cherchant Einstein autour de lui)*

Pas à l'heure, comme d'habitude.

LE VAGABOND

Le retard est le privilège des petites femmes et des grands hommes. *(Cédant soudain à la colère.)* J'en ai ma claque ! Vous me pourrissez la vie !

O'NEILL

Ah oui ? Au moins, nous vous laissons la poursuivre, votre vie de vagabond. Imaginez que nous rouvrions votre dossier…

LE VAGABOND

Je ne suis coupable de rien.

O'NEILL

Tout le monde est coupable.

LE VAGABOND

Non !

O'NEILL

Et certains davantage.

LE VAGABOND

Assez !

O'NEILL

Nous pourrions par exemple nous souvenir de vos attitudes répréhensibles : les violations de propriétés privées…

LE VAGABOND

Oh, pour dormir…

O'NEILL

… les attentats à la pudeur…

LE VAGABOND

Je me lavais dans une rivière…

O'NEILL

… et les diverses taxes non réglées…

LE VAGABOND

S'il faut payer des impôts sur les aumônes, maintenant ! Vous, vous auriez foutu Jésus et les douze apôtres en prison pour fraude fiscale…

O'NEILL

Assez ! Voici votre cible. Recueillez les informations qui m'intéressent. Sinon…

Il part.

Einstein, un peu moins vif que d'ordinaire, le teint pâle et les traits tirés, rejoint le vagabond.

EINSTEIN

Mon ami, j'ai une très bonne nouvelle !

LE VAGABOND

La bombe russe ?

Einstein marque un temps de surprise.

EINSTEIN

Quoi, la bombe russe ?

LE VAGABOND *(alarmé)*

Ne me dites pas que vous sautez au plafond à cause de la bombe russe ! Non, s'il vous plaît, ne m'annoncez pas ça.

EINSTEIN *(grimaçant)*

La bombe russe…

LE VAGABOND *(catastrophé)*

Vous m'aviez raconté que vous vous opposiez à ce que la bombe reste américaine.

EINSTEIN *(avec hauteur)*
La bombe américaine... Sans les scientifiques européens, les Américains n'auraient pas réussi un pétard !

LE VAGABOND
Vous applaudissez donc la bombe russe !

EINSTEIN
Cessez d'utiliser cette expression ridicule. La bombe n'est pas plus russe qu'américaine. D'ailleurs, si, par abus, on devait lui attribuer une nationalité, on l'appellerait la bombe française car les savants dont les travaux ont inventé la bombe, ce sont MM. Joliot-Curie, Halban et Kowarski dans les laboratoires du Collège de France à Paris. Parfaitement ! Ils en ont déposé le brevet en 1939. Pourtant, après les massacres d'Hiroshima et de Nagasaki, les Français n'ont pas réclamé de droits d'auteur.

LE VAGABOND *(toujours inquiet)*
Vous êtes content ?

EINSTEIN *(avec aigreur)*
Je fulmine de joie !

LE VAGABOND
Pourquoi ?

Einstein a soudain un haut-le-cœur et cherche un appui. Le vagabond se précipite vers lui pour le soutenir.

EINSTEIN
Oh... Excusez-moi... Vous n'auriez pas un peu d'eau ? Si je ne prends pas ce médicament...

LE VAGABOND
Ça s'avale avec de la bière, votre pilule ?

EINSTEIN
Oui.

Il ingurgite le remède et la bière, soupire, se détend.

LE VAGABOND
Des problèmes de digestion ? Connais ça. Moi aussi j'ai une riche vie intérieure.

Ils se sourient.

LE VAGABOND
Alors ? Qu'est-ce qui vous réjouit donc ?

EINSTEIN *(avec un sourire ambigu)*
Bientôt, il n'y aura plus de guerres.

Le vagabond, ne saisissant pas l'ironie, reçoit la phrase au premier degré.

LE VAGABOND
Merveilleux. Et quand ?

EINSTEIN
Après la Quatrième Guerre mondiale.

LE VAGABOND
Pourquoi ?

EINSTEIN
Parce qu'il n'y aura plus d'hommes. Grâce à la bombe H.

LE VAGABOND
Qu'est-ce que ça veut dire, bombe H ?

EINSTEIN
Ça veut dire que, une fois qu'elle aura explosé,

personne ne subsistera pour enterrer les morts. Les bombes A, les bombes atomiques lancées sur Hiroshima et Nagasaki, ne représentaient qu'un pet de nonne à côté de la bombe H, la bombe à hydrogène.

LE VAGABOND
Mon Dieu…

EINSTEIN
Votre Dieu ? On se demande où il est passé, celui-là, sûr qu'il ne fréquente pas beaucoup les laboratoires. *(Un temps.)* Dorénavant, les humains ont les moyens de se détruire et d'anéantir toute vie.

Le vagabond se dresse sur ses jambes et aborde Einstein avec véhémence, comme il ne l'a jamais osé.

LE VAGABOND
Vous n'avez pas honte !

EINSTEIN
Pardon ?

LE VAGABOND
Vous n'avez pas honte d'être un savant ? d'armer

le bras des brutes ? de rendre les assassins plus efficaces ? Se taper sur la gueule, les hommes l'ont toujours fait, mais maintenant, avec votre aide, on change d'échelle. Merci, Monseigneur. On tue le maximum de gens en un minimum de temps. On massacre style cinq étoiles, ça glisse comme du petit-lait. Ah, quel progrès !

EINSTEIN

Allons, vous exagérez ! Il…

LE VAGABOND

Putain de progrès ! Moi qui pensais que la science incarnait le sommet de la civilisation… Oui, grâce à elle, l'humanité avance, mais en barbarie. Désolé, monsieur Einstein, ce que vous incarnez – l'instruction, la connaissance –, nous a fait prendre une fausse route. L'aboutissement de tant de culture, ça devient les guerres mondiales, des camps de concentration, des bombes A, des bombes H, l'apocalypse ! Vous n'avez fabriqué que de la mort !

EINSTEIN

Mais…

LE VAGABOND

Je panique !

Il se lève, ramasse ses sacs et s'en va.

EINSTEIN

Attendez. Écoutez-moi.

LE VAGABOND

Non. J'ai les foies, la chair de poule, des sueurs froides, les boyaux qui tricotent et les castagnettes qui s'emballent. La planète sent le sapin. L'espoir s'est fait la malle. On va à la culbute. J'ai peur d'aujourd'hui. Je me méfie de demain. Je crains qu'il n'y ait plus d'après-demain. Je flippe quand je croise une brute. Je balise quand je rencontre un génie. Et du génie ou de la brute, je ne sais pas duquel je dois le plus me méfier.

Il s'enfuit, laissant Einstein déconcerté.

Le vieil homme veut rattraper le vagabond mais, au moment où il se soulève, il rugit de souffrance et s'effondre au sol.

Quelques secondes plus tard, le vagabond revient sur ses pas parce qu'il a vu son ami tomber.

LE VAGABOND
Monsieur Einstein… monsieur Einstein…

O'Neill entre à son tour, embarrassé, et observe la scène. Lorsqu'il l'aperçoit, le vagabond l'apostrophe.

LE VAGABOND
Ne vous plantez pas là, face de rat ! Appelez un médecin, vite !

O'Neill s'approche et constate qu'Einstein va mal.

O'NEILL
Parlez-lui. Empêchez-le de tourner de l'œil. Je file chercher du secours.

O'Neill repart en courant.
Le vagabond, tenant le savant dans ses bras, donne de petites claques à Einstein qui finit par reprendre conscience.

LE VAGABOND
Ah, voilà… Docteur Einstein… Restez avec moi. On est allé chercher un médecin et une ambulance.

Ttt... ttt... restez avec moi. *(Cherchant un sujet de conversation pour retenir l'attention d'Einstein)* Dites, j'ai besoin de savoir : est-ce que vous aimez l'Amérique ?

Einstein, très doux, répond de façon enfantine.

EINSTEIN
Bien sûr.

LE VAGABOND
Pourquoi ?

EINSTEIN
Parce que j'ai un ami en Amérique.

LE VAGABOND
Ah oui ? À quoi ressemble-t-il ?

EINSTEIN
Une barbe à papa géante avec une tête de Sioux

Ils se regardent avec tendresse.

LE VAGABOND
Qu'est-ce que vous appréciez en moi, à part mon physique éblouissant ?

EINSTEIN
Il est parfois dur d'aimer les hommes. Avec vous, c'est facile.

LE VAGABOND
Pourquoi ?

EINSTEIN
Comme nous ne sommes d'accord sur rien, nous avons toujours plein de choses à nous dire. *(Ils rient.)* Les humains se passionnent pour des objectifs dérisoires, richesse, pouvoir, luxe, gloire. Pas vous.

LE VAGABOND
Je suis libre.

EINSTEIN
Pas du tout. Vous vous êtes enfermé dans vos souvenirs en consacrant votre existence au fils disparu. Pour le célébrer vous vivez loin des autres, loin de la société, loin des normes, loin de tout ce que vous avez connu avant. Un deuil monumental et spectaculaire. Vous me bouleversez. Par comparaison, je me sens misérable.

LE VAGABOND

Arrêtez ! Vous êtes admirable.

EINSTEIN

Admirable, moi ? Ça reste relatif. L'immense savant cache un père minuscule et un mari infinitésimal. J'ai trompé leur confiance, j'ai… (*Durement.*) Deux enfants génétiquement malades, l'une morte, l'autre à l'asile. Puis un fils brillant, Hans-Albert, qui enseigne l'ingénierie hydraulique à Berkeley, que je fréquente encore moins que mes collègues. J'ai peur d'avoir plus de cerveau que de cœur.

LE VAGABOND

Non, vous aimez l'humanité.

EINSTEIN

Je la rêve… Est-ce que je l'aime ? *(Un temps.)* J'aime tout le monde mais ai-je jamais aimé précisément quelqu'un ?

Il se met soudain à frissonner en claquant des dents.

LE VAGABOND

Que se passe-t-il ?

EINSTEIN

Je ne vais pas bien, mon ami. Il y a toujours eu beaucoup de chiffres dans mon cerveau mais maintenant, il y en a encore plus : le nombre de mes victimes. Des centaines de milliers. Demain des millions. Après-demain des milliards. Et ces chiffres diffèrent des autres, ils sentent le cadavre, la décomposition, le déchet humain. Vous le percevez ? C'est le souffle d'Hiroshima... Chaque nuit, il traverse le Pacifique. Des mégatonnes d'énergie, les vents qui suivent la dépression, l'air brûlant... Le souffle d'Hiroshima parcourt la terre. Il arrive jusqu'à moi, il me frôle l'épaule, il me réveille et je vois le néant. Des manteaux de suie couvrent le ciel.

À cet instant, Einstein a de nouveau un malaise et perd conscience. Le vagabond s'angoisse.

LE VAGABOND

Docteur Einstein ! Docteur Einstein... Au secours ! Quelqu'un ! Vite !

8

Dans un crépuscule où pointe une pleine lune, le vagabond et O'Neill se font face.

O'Neill, en manteau, gants, écharpe, se tient sur le départ. Le vagabond, lui, enfouit son émotion sous de la véhémence.

LE VAGABOND

Mais je vous dis qu'il va me rejoindre !

O'NEILL

Il ne viendra pas.

LE VAGABOND

Il me l'a promis. Le prochain dimanche de pleine lune ! Il ne m'a jamais posé de lapin.

O'NEILL

N'y songez plus. Il ne se déplace pas, il ne sort plus de chez lui. Il est trop mal en point.

LE VAGABOND

Je ne vous crois pas !

Quoique au courant de l'extrême faiblesse d'Einstein, le vagabond la nie.

D'un geste raide, O'Neill lui tend une carte de visite.

O'NEILL

Si vous apprenez un détail, vous pourrez me joindre à ce numéro-là.

Le vagabond refuse la carte.

LE VAGABOND

Il a un rhume et vous, vous l'enterrez !

O'NEILL

Même si je retardais mon départ, il ne guérirait pas.

Le vagabond se mord les lèvres de chagrin. O'Neill poursuit, le front plissé :

O'NEILL

Je pensais qu'Hoover lancerait les hostilités contre lui, organiserait une campagne de dénigrement, l'expulserait des États-Unis. Souvent, nous en avons parlé, à l'Agence… mais Hoover n'a pas osé. On ferme le dossier Einstein. Mon travail n'a servi à rien. *(Insistant.)* Prenez ma carte.

Le vagabond hésite puis saisit la carte.

Comme s'il opérait un échange, il sort une bouteille de son manteau.

LE VAGABOND

Tenez. Un petit cadeau d'adieu.

O'NEILL

Pour moi ? Du bourbon ? C'est… c'est gentil. Je suis surpris. Merci.

Il s'éloigne de quelques pas et confesse ce qui le préoccupe.

O'NEILL
Je n'ai rien compris à ce boche.

LE VAGABOND
Normal, vous ne pouvez pas entraver quelque chose de nouveau puisque vous détenez les réponses avant même de vous poser les questions.

O'NEILL
Pas vous ?

LE VAGABOND
Moi, j'ai les questions sans les réponses.

O'NEILL
Et lui ?

LE VAGABOND
Il se pose des questions que personne ne s'est jamais posées et, parfois, il y trouve des réponses – voilà ce qui distingue un génie de deux bouseux comme nous.

O'NEILL
Je ne comprends toujours pas.

LE VAGABOND

Einstein représente l'idéaliste, vous l'idéologue et moi le réaliste.

O'NEILL

Qui gagne ?

LE VAGABOND

Sûrement pas le réaliste puisque je reste une merde sur un tas de fumier.

O'NEILL *(poursuivant sa pensée)*

Selon moi, Einstein bénéficiait d'une protection.

LE VAGABOND

De qui ?

O'NEILL

De sa notoriété. Parce qu'il est mondialement connu, on l'a laissé déblatérer contre la guerre, défendre les Juifs, les Noirs, les communistes.

LE VAGABOND

Faux. Vous savez très bien que votre dossier était vide.

Le vagabond s'écarte.
O'Neill range la bouteille dans sa poche.

O'NEILL
Et merci pour le bourbon. Ça me fera… un souvenir.

LE VAGABOND *(grommelant pour lui-même)*
Tu parles, j'ai pissé dedans.

O'Neill disparaît.
Le vagabond se tourne vers l'endroit où l'espion est parti et l'invective dans le vide :

LE VAGABOND
Et c'est tout ce que ça vous fait ? Vous surveillez un génie pendant des années, et vous restez plus bas de plafond, vous repartez même plus creux qu'à l'arrivée. Vous êtes con comme un balai ! Manche à couilles !

La porte claque. La voiture de O'Neill démarre.

LE VAGABOND
Quand on songe qu'Einstein se bat pour des gens

pareils ! Pour assurer la paix à des nuisibles, des Hoover, des O'Neill, des McCarthy ! Il a tout faux, Einstein, il a tout faux. La bombe, faut la placer à la maternité, sous le berceau des crétins !

Dans son dos, sans que le vagabond s'en rende compte, Einstein s'approche, affaibli, s'aidant d'une canne.

EINSTEIN
Eh bien quoi, vous engueulez les poissons ?

Le vagabond manque défaillir de joie.

LE VAGABOND
Vous ! C'est vous ?

EINSTEIN
Vous n'allez pas encore me prendre pour un clochard qui ressemble à Neinstein !

LE VAGABOND
Oh, vous me soulagez… On m'avait dit… que vous n'alliez pas bien.

EINSTEIN
Qui est « on » ?

LE VAGABOND
Des gens, en ville.

EINSTEIN
Félicitez « on ». « On » avait raison : j'ai eu de meilleurs moments.

Le vagabond se précipite pour l'aider à s'asseoir.

LE VAGABOND
Vous avez pu conduire jusqu'ici ?

EINSTEIN
Helen Dukas, mon assistante, m'attend dans la voiture.

LE VAGABOND
Vous êtes venu… pour moi ?

EINSTEIN
J'avais juré que nous nous retrouverions à la prochaine pleine lune. Vous les réussissez si bien, les pleines lunes. Comment s'annonce-t-elle, ce soir ?

Ils s'assoient côte à côte.

Einstein lève la tête en remontant un plaid de laine sur lui.

EINSTEIN

Contemplons !

LE VAGABOND

Parce qu'il est impossible de prévoir toutes les conséquences de ses actes, le sage se limite à la stricte contemplation.

EINSTEIN *(appréciant la formule)*

Oh, oh…

LE VAGABOND

Je disais ça à ma femme quand je voulais ne rien foutre à la maison.

EINSTEIN

Dommage : vous me l'apprenez trop tard pour que je puisse m'en servir. *(Examinant la lune.)* Oh, vous vous êtes surpassé ! Somptueux ! Ça frôle le chef-d'œuvre. Ça représente au moins une lune à quinze dollars.

LE VAGABOND
Oh non, laissez-moi vous l'offrir.

Einstein sort une importante liasse de billets et la glisse dans la poche du vagabond.

EINSTEIN
Si, si, j'insiste. Vous en aurez plus l'usage que moi.

Comprenant qu'il s'agit d'un cadeau d'adieu, le vagabond a la gorge si serrée qu'il ne parvient ni à répondre ni à remercier.

EINSTEIN
Quand vous scrutez le ciel, voyez-vous des frontières ? Lorsque vous contemplez les étoiles, considérez-vous que cela a un sens, les passeports, les visas, les postes de douane et les couleurs de peau ?

Le vagabond secoue la tête.

LE VAGABOND
Au fond, c'est vous le vagabond, le sans racines, l'apatride, étranger partout, étranger nulle part,

humain. Et vous ne déambulez pas seulement sur terre mais dans le ciel, familier des étoiles, pèlerin de l'infini, champion du relatif. Moi, par rapport à vous, je fais bourgeois, installé, croûton !

Ils rient, frivoles.

LE VAGABOND
Pourquoi moi, monsieur Einstein ?

EINSTEIN
Parce que c'est vous.

LE VAGABOND
Je n'ai pourtant pas inventé la marche arrière.

EINSTEIN *(frissonnant)*
Je ne sais pas si ce que j'ai inventé, directement ou indirectement, me rend plus fréquentable… *(Se penchant.)* Vous avez le cœur bon. Je vous sais incapable d'une trahison.

LE VAGABOND
Moi ?

EINSTEIN
Je me doute bien que les agents du FBI ont dû

vous tourmenter parfois… D'ailleurs, pour cet inconvénient, pardonnez-moi.

Le vagabond, ému, a envie d'embrasser Einstein mais se retient.

EINSTEIN
Hoover, Truman, McCarthy… Nous ne pouvons pas plus nous entendre qu'une alouette avec un requin : ils font passer leur politique pour une morale alors que moi je tente de trouver la politique de ma morale.

LE VAGABOND
Comment allez-vous ?

EINSTEIN
Dans ma vie, j'ai connu trois grandes humiliations, la maladie, la vieillesse et l'ignorance. Par bonheur, quelque chose va venir à bout des trois.

LE VAGABOND
Quoi donc ?

EINSTEIN
La mort. *(Einstein a prononcé ce mot sans appréhension, comme un homme qui accepte son sort.)*

Elle s'approche comme une ancienne dette, que je vais enfin me résoudre à payer…

Le vagabond se racle la gorge et change de sujet.

LE VAGABOND

Vous rappelez-vous qu'un jour, il y a plusieurs années, je m'étais mis en colère quand j'avais peur que vous, les savants, vous conceviez des armes trop puissantes ? Eh bien, j'ai changé d'avis. La frousse nous protège. Un affrontement nucléaire produirait une telle bouillie que les dirigeants seront obligés de négocier avant. On va avoir la paix car tout le monde chie dans son froc.

EINSTEIN

La paix, voilà le nom que vous donnez à cette terreur ?

LE VAGABOND

La paix atomique !

EINSTEIN

J'ai voulu faire cette guerre pour nous débarrasser de la guerre, et voici le résultat · une paix qu'on appelle la guerre froide ! La paix perpétuelle au moyen de l'angoisse perpétuelle !

LE VAGABOND

On ne réformera pas les hommes, monsieur Einstein : ils ont besoin de serrer les fesses pour réfléchir. Sans un ennemi ou un danger, ils ne s'unissent pas. Vous, vous croyez à l'humanisme fondé sur la bonne volonté ; moi, je ne crois qu'à la solidarité fondée sur la trouille.

EINSTEIN

Pas d'accord. Avec les siècles, nous avons domestiqué beaucoup de nos basses inclinations en devenant plus tolérants, plus rationnels, plus raffinés. L'homme ne se réduit pas à une création de la nature : il est aussi une invention de lui-même. Nous pouvons nous épurer. Je rêve qu'un jour l'humanité se débarrasse de la violence et de la peur.

LE VAGABOND

J'accepte les gens tels qu'ils existent. Vous, vous voulez les changer.

EINSTEIN

Exact. Le problème d'aujourd'hui, ce n'est plus l'énergie atomique, c'est le cœur des hommes. Il faut désarmer les esprits avant de désarmer les militaires.

Einstein sort un crayon et se met à le tailler.

EINSTEIN

Tiens, toute ma vie, ça.

LE VAGABOND

Quoi ?

EINSTEIN

Les pelures... Un crayon bien taillé en donne 175. Voici l'exact résumé de mon existence : à raison de 3 crayons par jour, je fabrique quotidiennement 525 copeaux, soit 3 675 par semaine, autant dire 191 100 par an. Vous imaginez ? Depuis mon entrée à l'Université à l'âge de 18 ans, j'ai donc usé 63 510 crayons, fourni plus de 11 millions de pelures, sans compter les craies, les plumes et les encriers que j'ai achevés. Ajoutez trente pages par jour, soit 635 000 déjà, un buvard toutes les cinquante pages, soit 12 700, une gomme par mois, soit 3 016, je suis un des plus grands producteurs de déchets sur cette planète.

LE VAGABOND

Ce n'est pas ce qu'on retiendra de vous.

EINSTEIN

Oui, toutes ces pelures se résumeront en une petite formule : $E=mc^2$. *(Un bref temps.)* Quelle farce ! On ne veut que le bien et on fait le mal, immanquablement. Ma vie durant, je me suis consacré à la vérité, j'ai élaboré des théories humanistes, j'ai imaginé des plans justes et généreux, or le destin, avec une insistance cruelle, en multiplie les conséquences néfastes. Impossible de rater le pire tandis que le meilleur recule à mesure que j'avance tel l'arc-en-ciel dans l'azur. Dieu volontairement et le Diable malgré moi, voilà la formule de mon existence.

LE VAGABOND

Je vous interdis de vous flageller.

EINSTEIN

Je suis une tragédie, la tragédie des bonnes intentions. Enfin, ce qui me rassure, c'est que je vais rejoindre ça... les miettes, les poussières, la cendre. Quel soulagement...

LE VAGABOND
Arrêtez !

EINSTEIN
Pourquoi se cabrer contre l'inéluctable ? Il y a deux sortes de mourants, les révoltés et les consentants, ceux qui poussent un dernier cri, ceux qui poussent un ultime soupir. Moi, je pousserai un ultime soupir... *(Un temps.)* Vous allez me manquer.

LE VAGABOND
Vous aussi.

EINSTEIN
Merveilleux, n'est-ce pas ?

LE VAGABOND
Horrible !

EINSTEIN
Pas du tout, ce manque couronnera notre amitié. *(Un temps.)* Après le départ d'un proche, il ne faut pas pleurer de chagrin mais de joie. Plutôt que regretter ce qui n'est plus, on doit se réjouir de ce qui a été.

Une voix de femme retentit au loin.

LA VOIX D'HELEN DUKAS

Docteur Einstein !

EINSTEIN *(à pleine voix)*

Oui ! *(Au vagabond.)* Allons bon, il faut que je me dépêche... Voyons, quelle heure est-il ?

LE VAGABOND

Prenez votre temps. Je préfère que vous soyez encore plus en retard dans l'autre monde que dans celui-ci.

Ils se contemplent.

EINSTEIN

Je dois rentrer, j'ai plusieurs lettres à rédiger, et je veux signer l'appel à la Paix qu'a élaboré Bertrand Russel, un Anglais.

LE VAGABOND

Quoi, vous allez travailler ?

EINSTEIN

La vie ressemble au vélo, il faut continuer à avancer si l'on ne veut pas perdre l'équilibre.

LE VAGABOND
Vous pourriez vous reposer, enfin.

EINSTEIN
Je vais vous livrer une confidence, mon ami : j'ai été très heureux. Oui, je ne sais pas comment j'y suis arrivé en menant tant de batailles intellectuelles, en recevant tant d'insultes, en traversant deux guerres mondiales et deux mariages, mais c'est un fait, une réalité ravissante, étrange : j'ai été insolemment heureux.

Einstein s'écarte lentement, à regret.

EINSTEIN
Adieu.

LE VAGABOND
Je vais beaucoup souffrir, docteur Einstein, quand vous ne serez plus là.

EINSTEIN
Je serai là.

LE VAGABOND
Pardon ?

EINSTEIN

Regardez le ciel. Je serai là.

LE VAGABOND

Où ?

EINSTEIN

Dans le vide. Entre les étoiles. Tout le vide ce sera moi. Je vous ferai signe comme ça.

La voix insiste au lointain.

LA VOIX D'HELEN DUKAS

Docteur Einstein ! Docteur Einstein !

EINSTEIN

J'arrive. *(Il se tourne vers le vagabond.)* La vie, en apparence, n'a aucun sens. Et pourtant il est impossible qu'il n'y en ait pas un. *(Désignant le ciel.)* À plus tard…

Ils se font un signe d'adieu puis Einstein sort.
Le vagabond se rassoit et regarde le ciel.
Tout d'un coup, les étoiles disparaissent.

LE VAGABOND
Quoi ? Docteur ? Docteur ! Docteur Einstein...

Il n'y a plus que le vide sidéral au-dessus du vagabond. Einstein vient de mourir.

Tel un souvenir, le chant d'un violon s'élève, sublime, emplissant l'espace.

Les larmes aux yeux, le vagabond regarde le désert céleste mais s'efforce, cependant, de lui sourire.

La Trahison d'Einstein a été créée au Théâtre Rive-Gauche le 30 janvier 2014. Mise en scène de Steve Suissa, décors de Stéphanie Jarre, lumières Jacques Rouveyrollis, costumes Pascale Bordet, avec Francis Huster (Einstein), Jean-Claude Dreyfus (Le Vagabond) et Dan Herzberg (O'Neill).

DU MÊME AUTEUR

Aux Éditions Albin Michel

Romans

LA SECTE DES ÉGOÏSTES, 1994.
L'ÉVANGILE SELON PILATE, 2000, 2005.
LA PART DE L'AUTRE, 2001.
LORSQUE J'ÉTAIS UNE ŒUVRE D'ART, 2002.
ULYSSE FROM BAGDAD, 2008.
LA FEMME AU MIROIR, 2011.
LES PERROQUETS DE LA PLACE D'AREZZO, 2013.

Nouvelles

ODETTE TOULEMONDE ET AUTRES HISTOIRES, 2006.
LA RÊVEUSE D'OSTENDE, 2007.
CONCERTO À LA MÉMOIRE D'UN ANGE, Goncourt de la nouvelle, 2010.
LES DEUX MESSIEURS DE BRUXELLES, 2012.

Le Cycle de l'invisible

MILAREPA, 1997.
MONSIEUR IBRAHIM ET LES FLEURS DU CORAN, 2001.

OSCAR ET LA DAME ROSE, 2002.
L'ENFANT DE NOÉ, 2004.
LE SUMO QUI NE POUVAIT PAS GROSSIR, 2009.
LES DIX ENFANTS QUE MADAME MING N'A JAMAIS EUS, 2012.

Essais

DIDEROT, OU LA PHILOSOPHIE DE LA SÉDUCTION, 1997.
MA VIE AVEC MOZART, 2005.
QUAND JE PENSE QUE BEETHOVEN EST MORT ALORS QUE TANT DE CRÉTINS VIVENT, 2010.

Théâtre

Le Grand Prix du Théâtre de l'Académie française
a été décerné à Éric-Emmanuel Schmitt
pour l'ensemble de son œuvre

LA NUIT DE VALOGNES, 1991.
LE VISITEUR (Molière du meilleur auteur), 1993.
GOLDEN JOE, 1995.
VARIATIONS ÉNIGMATIQUES, 1996.
LE LIBERTIN, 1997.
FREDERICK, OU LE BOULEVARD DU CRIME, 1998.
HÔTEL DES DEUX MONDES, 1999.

PETITS CRIMES CONJUGAUX, 2003.
MES ÉVANGILES (*La Nuit des Oliviers, L'Évangile selon Pilate*), 2004.
LA TECTONIQUE DES SENTIMENTS, 2008.
UN HOMME TROP FACILE, 2013.
THE GUITRYS, 2013.

Site Internet : eric-emmanuel-schmitt.com

Composition IGS-CP
Impression CPI Bussière en avril 2014
à Saint-Amand-Montrond (Cher)
Éditions Albin Michel
22, rue Huyghens, 75014 Paris
www.albin-michel.fr
ISBN : 978-2-226-25429-0
N° d'édition : 21121/04. – N° d'impression : 2009348.
Dépôt légal : janvier 2014.
Imprimé en France.